C000139192

TÜRKÇE
ÖĞRENİYORUZ 1
Türkisch aktiv

engin

Yazışma Adresi : ENGİN YAYINEVİ
Selanik Cad. 28/6   Kızılay / ANKARA
Tel : 419 49 20 - 21   Fax : 419 49 22

Bu eser T.C. Milli Eğitim Bakanlığı Talim Terbiye Kurulunca incelenerek 9 Mayıs 1983 tarih ve 2138 sayılı Tebliğler Dergisinde, Türkçe öğrenmek isteyen yabancılara ve anadilini bilmeyen Türk çocuklarına tavsiye edilmesi uygun görülmüştür.

Her hakkı saklıdır. Kopye edilemez.
All rights reserved. Can not be copied.

Engin Yayınevi   : Selanik Cad. 28/6 Kızılay/ANKARA
Tel   : (312) 419 49 20-21 Fax: (312) 419 49 22
Basım Tarihi   : Ağustos 1996
Basımevi   : Pan Matbaası

İÇİNDEKİLER

ÖNSÖZ

Bu kitapta ilk derslerde daha çok günlük konuşmalar üzerinde durulmuştur. Bu konuşmalar genellikle gerçek hayattan olduğu gibi metinlere aktarılmıştır. Gazete ve yazı dili daha sonraki derslerde yer almıştır. Türkçenin telafuzunun doğru öğrenilebilmesi için bütün metin ve alıştırmaların kaset ve bantları hazırlanmıştır. Görerek öğrenmenin yararları düşünülerek konular fotoğraflarla birlikte verilmiş ve bu fotoğrafların diapozitifleri yapılmıştır. Böylece isteyen herkesin okuyarak, yazarak, görerek ve işiterek Türkçeyi en kolay şekilde öğrenebilmesine çalışılmıştır.

PREFACE

In the first few units of this book the emphasis has been placed more on daily conversation. Generally speaking, the conversation texts have been taken from real-life situations. Extracts from newspapers and books have been textualised in the subsequent units. To learn the Turkish pronunciation properly, cassettes and tape recordings of all the texts and drills have been prepared.

Keeping in mind the fact that there are many advantages in learning a foreign language through visual aids, photographs have been included in the units and slides have been prepared as well, towards enabling everyone who is interested in learning the Turkish language, to acquire Turkish in the easiest way through reading, writing and audio-visual aids.

VORWORT

In fast allen Kapiteln dieses Buches werden vorwiegend Gespräche berücksichttigt, die aus typischen Alltagssituationen in der Türkei stammen. Literarische und Pressetexte werden in einem Folgeband behandelt. Um die Aussprache des Türkischen korrekt zu lernen, stehen Kassetten und Tombänder mit allen Texten und Übungen zur Verfügung. Jedem kapitel wurden Fotos beigefügt; ausserdem stehen Dias bereit, um durch die audio-visuelle methode das Erlernen der türkischen Sprache zu erleichtern.

PREFACE

Dans les premiers chapitres de cet ouvrage l'accent est particulièrement mis sur le langage quotidien. Les textes leflètent directement les conversations de tous les jours. Une étude des langages littéraire et journalistique est proposée dans les chapitres ultérieurs. Des bandes sonores et des casettes accompagnent les textes dans le but d'un meilleur enseignement de la prononciation. Compte tenu des avantages de le méthode visuelle, des photos et des diapositives accompagnent également les textes. Par cette méthode audio-visuelle nous nous proposons de mettre le turc à la portée de tous.

المقدمة

لقد تم في الدروس الاولى من هذا الكتاب التركيز على المحادثة اليومية، وحُرص على ان تكون نصوص المحادثات انعكاسا لمظاهر الحياة الحقيقية بصورة عامة . اما لغة الكتابة والصحافة فخصصت للدروس اللاحقة . وتم كذلك اعداد اشرطة كاسيت لتعليم التلفظ التام للغة التركية وانطلاقا من قاعدة التعلم بالمشاهدة زودت المواضيع بصور توضيحية، لكي يتسنى للمتعلم تعلم اللغة التركية عن طريق القراءة والكتابة والرؤية والاستماع .

ديباچه

در درسهاى نخستين اين كتاب روى صحبتهاى روزمرّه بيشتر تكيه و تهيّه كنندگان دقّت وكوشش كرده اند تا محاورات همانطوريكه هر روز بكار برده ميشوندندر اين كتاب گنجانده بشود . و در بخشهاى بعدى درروز نامه و متون ادبى جاى داده شده است . از طرفى براى اينكه زبان تركى با تلفّظ كامل ياد گرفته بشود بدين جهت تمامى متن و تمرينها بوسيلۀ نوار وكاست تهيّة و آماده گشته است . با تصوّر اينكه بوسيلۀ ديدن يادگيرى زبان مفيد ترخواهد بود ، موضوعها توأم با عكسها داده شده وسلايد هاى آنها نيزدر اختيار خواننندگان قرارمى گيرد . بدين ترتيب كوشش شده است براى هركسى كه ميخواهد زبان تركى را بوسيلۀ خواندن ، نوشتن ، ديدن وشنيدن ياد بگيرد ، فراگيرى آن را با ساده ترين شكل در اين كتاب در اختيار طالبين قرار دهد.

1

TANIŞMA

Bülent	:	Merhaba Emin Bey.
Emin Bey	:	Merhaba, nasılsınız?
Bülent	:	Teşekkür ederim, iyiyim. Siz nasılsınız?
Emin Bey	:	Teşekkür ederim. Ben de iyiyim.
Erksin Hanım	:	Benim adım Erksin.
Bülent	:	Memnun oldum.
Erksin Hanım	:	Ben de memnun oldum.
Bülent	:	Benim adım da Bülent.
Emin Bey	:	Nereye gidiyorsunuz?
Bülent	:	İstasyona gidiyorum. Allahaısmarladık.
Emin Bey	:	Güle güle! İyi yolculuklar.

— Nereye gidiyorsunuz?
— İstasyona gidiyorum.
— Nereden geliyorsunuz?
— İstanbul'dan geliyorum.

— Nerede oturuyorsunuz?
— Ankara'da oturuyorum.
— Ne iş yapıyorsunuz?
— Öğretmenim.

— Öğrenciler ne yapıyorlar?
— Türkçe öğreniyorlar.
— Türkçe kolay mı?
— Çok kolay.

— Nereden geliyorsun?
— Almanya'dan geliyorum.
— Ne yapıyorsun?
— Öğrenciyim. Türkçe öğreniyorum.

— Bu kim?
— Bu Emin Beydir.
— Emin Bey ne iş yapıyor?
— Emin Bey doktordur.
  Hastanede çalışıyor.

— Bu kim?
— Bülent Bey.
— Bülent Bey ne iş yapıyor?
— Bülent Bey stajyer doktordur.
  Tıp Fakültesine gidiyor.

— Bu kim?
— Erksin Hanım.
— Erksin Hanım ne iş yapıyor?
— Erksin Hanım öğretmendir.
  Türkçe öğretiyor.

— Bu kim?
— Henrike.
— Henrike ne iş yapıyor?
— Henrike öğrencidir.
  Türkçe öğreniyor.

TÜRKÇE KURSUNDA

— İyi günler! Adınız ne?
— Adım Henrike.
— Soyadınız ne?
— Ette.
— Nereden geliyorsunuz?
—- Almanya'dan geliyorum.
— Sizin adınız ne?
— Benim adım Sunny Irumekhai
— Benim adım da Duke Igbuwe.
— Siz nereden geliyorsunuz?
— Nijerya'dan.
— Türkçe kolay mı?
— Türkçe çok kolay. Biz çabuk Türkçe öğreniyoruz.
— Niçin Türkçe öğreniyorsunuz?
— Üniversiteye gidiyoruz.
— Hangi üniversiteye gidiyorsunuz?
— Ankara Üniversitesine.
— Üniversitenin Türkçe kursu var mı?
— Var. Biz Üniversitede Türkçe öğreniyoruz.

11

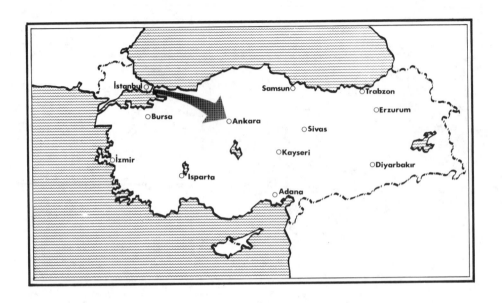

Bülent **nereden** geliyor? Bülent İstanbul'dan geliyor.

Bülent **nereye** gidiyor? Bülent Ankara'ya gidiyor.

Bülent,

Sevim Hanım,

Sadun Bey ve

Günder istasyondalar.

Treni bekliyorlar.

— Bülent'in elinde ne var?

— Bir paket, bir de bavul var.

— Sevim Hanımın elinde ne var?

— Bir çanta var.

— Bu kim?

....

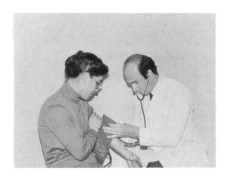

— Emin Bey ne iş yapıyor?

....

— Bu kim?

....

— Erksin Hanım ne yapıyor?

....

— Bu kim?

....

— Henrike ne yapıyor?

....

Dilbilgisi:

Şimdiki zaman:

gel - mek

Ben	gel - i - **yor** - um
Sen	gel - i - **yor** - sun
O	gel - i - **yor**
Biz	gel - i - **yor** - uz
Siz	gel - i - **yor** - sunuz
Onlar	gel - i - **yor** - lar

gel - me - mek

Ben	gel - **mi** - **yor** - um
Sen	gel - **mi** - **yor** - sun
O	gel - **mi** - **yor**
Biz	gel - **mi** - **yor** - uz
Siz	gel - **mi** - **yor** - sunuz
Onlar	gel - **mi** - **yor** - lar

git - mek

Ben	gidi**yor**um
Sen	gidi**yor**sun
O	gidi**yor**
Biz	gidi**yor**uz
Siz	gidi**yor**sunuz
Onlar	gidi**yor**lar

git - me - mek

Ben	git**miyor**um
Sen	git**miyor**sun
O	git**miyor**
Biz	git**miyor**uz
Siz	git**miyor**sunuz
Onlar	git**miyor**lar

otur - mak

Ben	otur u**yor**um
Sen	otur u**yor**sun
O	otur u**yor**
Biz	otur u**yor**uz
Siz	otur u**yor**sunuz
Onlar	otur u**yor**lar

otur - ma - mak

Ben	otur**muyor**um
Sen	otur**muyor**sun
O	otur**muyor**
Biz	otur**muyor**uz
Siz	otur**muyor**sunuz
Onlar	otur**muyor**lar

Ad durum ekleri:

1. Yönelme durumu: -e (-a)
2. Bulunma durumu: -de (-da)
3. Çıkma durumu: -den (-dan)

e,i,ö,ü'den sonra	a,ı,o,u'dan sonra
-e -de -den	-a -da -dan

Amerika'**dan** geliyorum.
Fakülte**den** geliyorum.
Ev**den** geliyorum.
Antalya'**dan** geliyorum.
İstanbul'**dan** geliyorum.
Fransa'**dan** geliyorum.
Almanya'**dan** geliyorum.
İngiltere'**den** geliyorum.
İran'**dan** geliyorum.
Suriye'**den** geliyorum.
Okul**dan** geliyorum.
Üniversite**den** geliyorum.
İzmir'**den** geliyorum.

İstanbul'**a** gidiyorum.
İzmir'**e** gidiyorum.
Almanya'**ya** gidiyorum.
Türkiye'**ye** gidiyorum.
Fransa'**ya** gidiyorum.
İngiltere'**ye** gidiyorum.
Üniversite**ye** gidiyorum.
Okul**a** gidiyorum.
Amerika'**ya** gidiyorum.

İstanbul'**da** oturuyorum.
İzmir'**de** oturuyorum.
Almanya'**da** oturuyorum.
İran'**da** oturuyorum.
Suriye'**de** oturuyorum.
Ankara'**da** oturuyorum.
İngiltere'**de** oturuyorum.
İsviçre'**de** oturuyorum.
Antalya'**da** oturuyorum.

Türkçede iki ünlü yan yana gelmez. Araya **y** koruyucu ünsüzü girer.

Üniversite-**y**-e, Almanya'-**y**-a, Türkiye'-**y**-e, Amerika'-**y**-a gibi.

Lütfen sayıları okuyunuz.

1	2	3	4
bir	iki	üç	dört

5	6	7	8
beş	altı	yedi	sekiz

9	10	11	12
dokuz	on	on bir	on iki

Alıştırmalar:

1. Lütfen cevap veriniz.

> Sen nereden geliyorsun? —Ben İstanbul'dan geliyorum.

Sen nereden geliyorsun?	Irak'tan......................................
Siz nereden geliyorsunuz?	İran'dan......................................
O nereden geliyor?	Almanya'dan..............................
Onlar nereden geliyorlar?	Japonya'dan..............................

Sen nereye gidiyorsun?	Ankara'ya................................
Siz nereye gidiyorsunuz?	İzmir'e......................................
O nereye gidiyor?	Almanya'ya...............................
Onlar nereye gidiyorlar?	Paris'e......................................

Sen nerede oturuyorsun?	Antalya'da...............................
Siz nerede oturuyorsunuz?	İstanbul'da...............................
O nerede oturuyor?	Berlin'de...................................
Onlar nerede oturuyorlar?	Tahran'da.................................

Sen nerede bekliyorsun?	İstasyonda................................
Siz nerede bekliyorsunuz?	Ankara'da.................................
O nerede bekliyor?	İzmir'de....................................
Onlar nerede bekliyorlar?	Okulda......................................

Sen ne öğreniyorsun?	Türkçe......................................
Siz ne öğreniyorsunuz?	Almanca...................................
O ne öğreniyor?	İngilizce...................................
Onlar ne öğreniyorlar?	Fransızca..................................

Bülent İstanbul'dadır. Burası Galata Köprüsü'dür.

Bülent İstanbul'dan Ankara'ya gidiyor. Ankara Türkiye'nin başkentidir.

19

İSTASYONDA

2

Sevim Hanım : Hadi yavrum, bin artık
trene. Vakit tamam.

Bülent : Daha beş dakika var, an-
neciğim.

Sadun Bey : Annen haklı oğlum.
Hadi bin artık.

Bülent : Peki baba. Allahaısmar-
ladık anneciğim. Ver eli-
ni öpeyim.

Sevim Hanım : Sağol yavrum.

Bülent : Allahaısmarladık baba.

Sadun Bey : Güle güle oğlum. Mek-
tup yaz.

Bülent	: Allahaısmarladık Günder.
Günder	: Güle güle ağabey.
Bülent	: Derslerine iyi çalış.
Günder	: Peki ağabey.
Sevim Hanım	: Güle güle oğlum.
	: Hadi hadi.. Çabuk ol!

Bülent	: Tamam anneciğim, tamam, daha iki dakika var. Hemen biniyorum.
Sevim Hanım	: Pençereyi aç! Pencereyi aç! Valizler nerede?
Bülent	: İşte burada anneciğim.
Sevim Hanım	: Paketler nerede?

Bülent	: Onlar da burada.
Sevim Hanım	: İyi. Paketlerde börek var, reçel var. Sabahları yersiniz.
Sadun Bey	: Valizlere dikkat et. Trende unutma.

Bülent	: Olur baba, unutmam.
Sevim Hanım	: Kendine iyi bak! Mektup yaz!
Bülent	: Allahaısmarladık!
Sevim Hanım	: Güle güle!
Günder	: Güle güle ağabey!
Sadun Bey	: İyi yolculuklar oğlum!
Bülent	: Hepiniz hoşça kalın.

— Bu kim?

— O, Sevim Hanım.

— Günder'in ablası mı?

— Hayır, annesi.

— Sevim Hanım Bülent'in de annesidir.

— Şu kim?

— Sadun Bey.

— Günder'in babası mı?

— Evet.

— Sadun Bey, Bülent'in de babasıdır.

— Bu kim?

— Günder.

— Okula gidiyor mu?

— Evet ilkokula gidiyor.

— Sevim Hanım, Sadun Bey, Bülent ve Günder nereye gidiyorlar?

— İstasyona gidiyorlar.

Bilet Gişesinde

Bülent : Ankara'ya hangi saatlerde tren var?
Memur: Akşam saat dokuzda, sabah saat sekiz on beşte.
Bülent : Öğleyin yok mu?
Memur: Yok, efendim.
Bülent : Sabah treni için bir bilet lütfen!
Memur: Tabii efendim.
Bülent : Ne kadar?
Memur: Yedi yüz lira.
Bülent : Buyurun, bin lira.
Memur: Biletiniz, bu da paranızın üstü.
Bülent : Teşekkür ederim.
Memur: Bir şey değil, efendim.

23

Dilbilgisi:

Bu aşçıdır.

Bu dişçidir.

Ekeylem: - dir (-dür, -dır, -dur)

e, i'den sonra	ö, ü'den sonra	a, ı'dan sonra	o, u'dan sonra
- dir	-dür	-dır	-dur
Bu kalemdir. Bu defterdir. Bu silgidir. O taksidir.	Bu gözdür. O Özgür'dür. Bu düzdür. O ütüdür.	Bu odadır. O babadır. Bu masadır. Bu halıdır.	Bu okuldur. Bu salondur. O doktordur. Bu bavuldur.

ç,f,h,k,t,p,s,ş, harflerinden sonra: -tir, (-tür, -tır, -tur)

e, i'den sonra	ö, ü'den sonra	a, ı'dan sonra	o,u'dan sonra
Bu börektir. O Bülent'tir. Bu Ahmet'tir. Bu Fatih'tir.	Bu gözlüktür. Bu sözlüktür. Bu küçüktür. O büyüktür.	Bu sınıftır. Bu kitaptır. Bu ağaçtır. Bu saçtır.	Bu mektuptur. O çocuktur. Bu Turgut'tur. O kuştur.

Emir kipi:

	gel - mek	gel-me-mek	al-mak	al-ma-mak
Sen	gel	gelme	al	alma
O	gelsin	gelmesin	alsın	almasın
Siz	gelin, geliniz	gelmeyin, gelmeyiniz	alın, alınız	almayın, almayınız
Onlar	gelsinler	gelmesinler	alsınlar	almasınlar

Gel   Gelme

	otur-mak	otur-ma-mak	öp - mek	öp-me-mek
Sen	otur	oturma	öp	öpme
O	otursun	oturmasın	öpsün	öpmesin
Siz	oturun, oturunuz	oturmayın, oturmayınız	öpün öpünüz	öpmeyin, öpmeyiniz.
Onlar	otursunlar	oturmasınlar	öpsünler	öpmesinler

Lütfen sayıları okuyunuz.

13 on üç	14 on dört	15 on beş	16 on altı
17 on yedi	18 on sekiz	19 on dokuz	20 yirmi
21 yirmi bir	22 yirmi iki	23 yirmi üç	24 yirmi dört
25 yirmi beş	26 yirmi altı	27 yirmi yedi	28 yirmi sekiz
29 yirmi dokuz	30 otuz	40 kırk	50 elli
60 altmış	70 yetmiş	80 seksen	90 doksan
100 yüz	500 beş yüz	1000 bin	1.000.000 milyon

Erksin Hanım ve Esen Hanım pazarda

— Portakalın kilosu kaça?
— Altmış lira.

— Lütfen iki kilo portakal.
— İki kilo portakal yüz yirmi lira.

— Dometesin kilosu kaça?
— Otuz lira.

— Lütfen üç kilo domates.
— Üç kilo domates doksan lira.

— Kabağın kilosu kaça?
— Yüz elli lira.

— Lütfen yarım kilo kabak.
— Yarım kilo kabak yetmiş beş lira.

27

şapka   şapkalar

Çoğul eki: -ler, -lar

kalem ....kalem**ler**
kitap ....kitap**lar**

1. pencere......2. silgi......3. kapı......4. valiz......5. gözlük......6. anne......
7. baba......8. öğrenci...... 9. öğretmen......10. okul......11. sınıf......
12. defter......13. oda......

Soru eki: mı (mi, mu, mü)

Bülent İstanbul'dan geliyor **mu?**
Bu Sevim Hanım **mı?**
Bu Sadun Bey **mi?**
Bu gözlük **mü?**
Burası İstanbul **mu?**
Bu okul **mu?**
Şu kitap sözlük **mü?**
Günder okula gidiyor **mu ?**
Bülent İstanbul'da oturuyor **mu?**

Alıştırmalar:

1. Lütfen tamamlayınız.

> Bu bir tren... — Bu bir trendir.

1. Bu bir pencere.....................
2. Bu bir araba.....................
3. Bu bir bavul.....................
4. Bu bir valiz.....................
5. Bu bir kalem.....................
6. Bu bir paket.....................
7. Bu bir çanta.....................
8. Bu bir kitap.....................

Bu kim**dir**?

2. Lütfen tamamlayınız.

> Günder küçük......... — Günder küçüktür.

1. Sevim Hanım anne...............
2. Sadun Bey baba..................
3. Bülent büyük.....................
4. Bu okul.............................
5. O doktor...........................
6. Bu Atatürk ....
7. Günder çocuk.....................
8. Bavul boş...........................

Bu Ahmet Bey**dir**.

3. Lütfen soru cümlesine çeviriniz.

> Masada çanta var. — Masada çanta var mı?

1. Masada çanta yok.   ....
2. Çantada kitap var.   ....
3. Çantada defter var.   ....
4. Sınıfta öğrenci yok.   ....
5. Sınıfta öğretmen var.   ....

4. Lütfen olumsuz yapınız.

> Trene binin. — Trene binmeyin.

1. Pencereyi kapa. ....
2. Pencereyi aç. ....
3. Paketi verin. ....
4. Mektup yaz. ....
5. Eve git. ....
6. Okula gel. ....
7. Ankara'da otur. ....
8. Antalya'ya gidin. ....
9. İzmir'den gelin. ....
10. Pencereyi kapayın. ....

5. Lütfen cevap veriniz.

> Masada kalem var mı? —Masada kalem var.

1. Masada kitap var mı? ....
2. Masada çiçek var mı? ....
3. Masada tren var mı? ....
4. Masada çanta var mı? ....
5. Masada lamba var mı? ....
6. Masada bavul var mı? ....
7. Masada vazo var mı? ....
8. Masada ev var mı? ....

6. Lütfen olumsuz yapınız.

> Bu masadır. —Bu masa değildir.

1. Bu çantadır. ....
2. Bu valizdir. ....
3. Bu Günder'dir. ....
4. Bu Turgut'tur. ....
5. Bu kapıdır. ....
6. Bu mektuptur. ....

7. Lütfen soru cümlesi yapınız.

> Sınıfta masa var. —Sınıfta masa var mı?

1. Sınıfta pencere var. .... ?
2. Çantada kalem var. .... ?
3. İstasyonda tren var. .... ?
4. Sınıfta öğretmen var. .... ?
5. Sınıfta öğrenci var. .... ?
6. Çantada defter var. .... ?
7. Pakette börek var. .... ?
8. İstasyonda Bülent var. .... ?
9. İstasyonda Günder var. .... ?

8. Lütfen cevap veriniz.

> Kitap nerede? —Kitap burada.

1. Kalem nerede? ....
2. Çanta nerede? ....
3. Paket nerede? ....
4. Valiz nerede? ....
5. Öğretmen nerede? ....
6. Öğrenciler nerede? ....

9. Lütfen cevap veriniz.

> Bu kimdir? —Bu Günder'dir.

1. Öğrenciler neredeler?   Öğrenciler sınıf.................................
2. Bu nedir?   Bu kitap...
3. Bu kimdir?   Bu Bülent.......................................
4. Defter nerede?   Defter çanta....................................
5. Şu nedir?   O tren...
6. Öğretmen nerede?   Öğretmen evde..................................
7. Tren nerede?   Tren istasyon...................................

10. Lütfen cevap veriniz.

> Sınıfta kimler var? —Sınıfta öğrenciler var.

1. Sınıfta kimler var? ....
2. Sınıfta ne var? ....
3. Sınıfta kim var? ....
4. Sınıfta kim yok? ....
5. Sınıfta kimler yok? ....

11. Lütfen sorunuz ve cevap veriniz.

> Çantada ne var? —Çantada kitap var.

1. İstasyonda ne var ? ....
2. Çantada........... ? ....
3. Okulda............ ? ....
4. Evde............... ? ....
5. Sınıfta............. ? ....
6. Bavulda........... ? ....
7. Pakette........... ? ....
8. Valizde............ ? ....

12. Lütfen olumsuz yapınız.

> Oda büyüktür. —Oda büyük değildir.

1. Masa büyüktür. ....
2. Kalem küçüktür. ....
3. Bu kitaptır. ....
4. Bu sınıftır. ....
5. Bu defterdir. ....

Dolmabahçe camisi — İstanbul

BARIŞ BEY

Barış Bey, işine her sabah 8'de gidiyor. O, bir okulda öğretmendir. Barış Bey, öğle yemeğini okulda yiyor. Evine saat 18'de geliyor. Evde hiçbir şey yapmıyor. Çünkü çok yorgundur. Yalnız gazete okuyor, radyo dinliyor. Barış Bey, cumartesi ve pazar günleri okula gitmiyor. Çünkü okul kapalıdır. Cumartesi ve pazar günleri evde oturuyor, kitap okuyor, resim yapıyor.

Lütfen doğru cevabı işaretleyiniz.

Barış Bey işine kaçta gidiyor?

☐ Saat 7'de gidiyor.

☐ Saat 7.30'da gidiyor.

☐ Saat 8.30'da gidiyor.

☐ Saat 8'de gidiyor.

Barış Bey işten sonra evinde ne yapıyor?

☐ Resim yapıyor.

☐ Kitap okuyor.

☐ Gazete okuyor ve radyo dinliyor.

☐ Banyo yapıyor.

Barış Bey cumartesi ve pazar ne yapıyor?

☐ Resim yapıyor.

☐ Maça gidiyor.

☐ Gazete okuyor.

☐ Hiçbir şey yapmıyor.

Saat: 10.30 on otuz
ya da
on buçuk

Saat: 11.45 on bir kırk beş
ya da
on ikiye çeyrek var.

Saat: 8.45 sekiz kırk beş
ya da
dokuza çeyrek var.

Saat: 12.45 on iki kırk beş
ya da
bire çeyrek var.

Saat: 12.07 on iki sıfır yedi
ya da
on ikiyi yedi geçiyor.

Saat: 10 on
ya da
yirmi iki

1. Lütfen cevap veriniz.

1. Saat kaçta kalkıyorsunuz? ....
2. Saat kaçta banyo yapıyorsunuz? ....
3. Saat kaçta tıraş oluyorsunuz? ....
4. Saat kaçta kahvaltı yapıyorsunuz? ....
5. Saat kaçta okula gidiyorsunuz? ....

2. Lütfen saatleri okuyunuz.

on kırk beş
on bire çeyrek var

on bir

on bir buçuk

üç — saat on beş

Saat: 9.15 dokuz on beş.
10.20 on yirmi / onu yirmi geçiyo
12.15 on iki on beş
09.30 dokuz otuz
12.00 on iki
05.30 beş otuz
00.4 sıfır dört
01.20 bir yirmi
07.30 yedi otuz
08.50 sekiz elli

Saat: 13.08 on üç sıfır sekiz.
14.30 on dört otuz
15.20 on beş yirmi
16.30 on altı otuz
18.45 on on sekiz kırk beş
19.50 on dokuz elli
20.10 yirmi on
21.30 yirmi bir otuz
22.15 yirmi iki on beş
24.00 yirmi dört / on iki

ANKARA'DAN GİDEN TRENLER

TRENİN ADI	İŞLEME GÜNLERİ	HAREKET SAATİ	PERON	VARIŞ İSTASYONU	VARIŞ SAATİ
GÜNEY Eksp.	PAZARTESİ - CARŞAMBA CUMA - CUMARTESİ	7.20	2	KURTALAN	11.00
VANGÖLÜ »	SALI - PERŞEMBE PAZAR	7.20	2	TATVAN	11.27
EGE »	HERGÜN	7.25	1	İZMİR	21.00
BOĞAZİÇİ »	»	8.00	1	H.PAŞA	17.05
KARAELMAS »	»	8.10	2	ZONGULDAK	18.04
TOROS »	PAZARTESİ PERŞEMBE-CUMARTESİ	8.41	2	H.PAŞA	18.25
DOĞU »	HERGÜN	(7.20)	2	KARS	14.45
MAVİ TREN »		13.30	1	H.PAŞA	21.00

3. Lütfen cevap veriniz.

1. Ankara'dan nerelere tren var?

....

2. Ankara'dan hangi günler tren var?

....

3. Ankara'dan hangi trenler gidiyor?

....

4. Ankara'dan İstanbul'a (Haydarpaşa'ya) hangi günler Mavi Tren var?

....

5. Mavi Tren, Ankara'dan saat kaçta hareket ediyor?

....

6. Perşembe günü Ankara'dan İzmir'e Ege Ekspresi var mı?

....

39

KASAPTA

Kasap: Buyurun hanımefendi, arzunuz!
Bayan: Dana eti var mı?
Kasap: Evet var.
Bayan: Lütfen yarım kilo dana eti.
Kasap: Bifteklik mi?
Bayan: Evet bifteklik.
Kasap: Başka arzunuz.
Bayan: Üç yüz gram da kıyma.
Kasap: Dana etinden mi?
Bayan: Hayır, koyun etinden. Lütfen biraz yağlı olsun.
Kasap: Üç yüz gram kıyma yüz elli lira, yarım kilo dana eti iki yüz elli lira.
      Hepsi toplam dört yüz lira.
Bayan: Buyurun, beş yüz lira.
Kasap: Bu paranızın üstü.
Bayan: Teşekkür ederim.

4. Lütfen sorunuz ve cevap veriniz.

Ne içmek istiyorsunuz? — Çay içmek istiyorum.

1. Ne içmek istiyorsunuz?	Süt............................
2. .... ?	Kahve.........................
3. .... ?	Su..............................
4. .... ?	Ayran.........................
5. .... ?	Meyve suyu..................
6. .... ?	Bira...........................

1. Ne yemek istiyorsunuz ?	Biftek yemek istiyorum.
2. .... ?	Fasulye........................
3. .... ?	Bezelye........................
4. .... ?	Pirinç pilav....................
5. .... ?	Şiş kebap.......................
6. .... ?	Döner..........................

TRENDE

Vural : Affedersiniz, burası boş mu?

Bülent: Evet boş, buyurun oturun.

Vural : Teşekkür ederim.

Bülent: Birşey değil.

Vural : Nereden geliyorsunuz?

Bülent: İstanbul'dan geliyorum. siz de
mi İstanbul'dan geliyorsunuz?

Vural : Hayır, Almanya'dan geliyorum.

Bülent: Hangi şehirden?

Vural : Berlin'den. Siz İstanbul'da mı
oturuyorsunuz?

Bülent: Hayır, Ankara'da oturuyorum.
Siz nereye gidiyorsunuz?

Vural: Ben de Ankara'ya gidiyorum. Sigara içer misiniz?

Bülent: Hayır, teşekkür ederim, içmiyorum.

Vural: Ankara'da ne iş yapıyorsunuz?

Bülent: Stajyer doktorum. Sizin mesleğiniz ne?

Vural : Ankara Üniversitesi'nde asistanım.

Bülent: Hangi bölümde?

Vural : Alman Dili ve Edebiyatı bölümünde.

Bülent: Evli misiniz?

Vural : Evet, evliyim. İki çocuğum var. Siz de evli misiniz?

Bülent: Hayır, henüz bekârım. Eşiniz ne iş yapıyor?

Vural : O da üniversitede asistan, birlikte çalışıyoruz.

Memur: Biletler lütfen!

Vural : Buyurun bakın.

Turgut : Trende rötar var mı acaba?

Memur: Hayır, yok. Bir saat sonra Ankara'dayız.

Turgut : Erzurum kaç saat sürüyor?

Memur: Erzurum altı saat sürüyor.

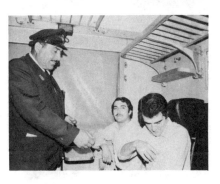

Turgut : Teşekkür ederim.

Memur: Bir şey değil, hepinize iyi yolculuklar.

— Bülent nerede?
— Trende.
— Ne yapıyor?
— Bavulu rafa koyuyor.

— Kim sigara içiyor?
— Vural Bey.
— Bülent sigara içiyor mu?
— Hayır, içmiyor.

— Bavul ve valizler istasyonda nereye
  bırakılıyor?
— Emanete bırakılıyor.
— Bu bay ne yapıyor?
— Emanetten bavulunu alıyor.

— Memur ne yapıyor?
— Bilet soruyor.
— Bülent'in tren bileti var mı?
— Evet var.

İstanbul - Ankara Treni

Vural : İstanbul-Ankara arası kaç kilometredir?
Memur: 598 kilometre.
Vural : İstanbul-Ankara arası kaç saat?
Memur: Yedi saat.
Bülent : Ankara'dan İstanbul'a ilk tren saat kaçta hareket ediyor?
Memur: Sabahleyin saat 8.15'te.
Vural : İstanbul-Ankara treninde rötar var mı?
Memur: Hayır, yok.
Bülent : Tren biletlerinde öğrenciler için indirim var mı?
Memur: Evet, %50 (yüzde elli) indirim var.
Vural : Başka kimlere indirim var?
Memur: Çocuklara, askerlere de %50 indirim var.
Bülent : Gidiş-dönüş biletlerinde de indirim var mı?
Memur: Evet, %10 indirim var.
Bülent : Verdiğiniz bilgiler için çok teşekkür ederiz.
Memur: Bir şey değil, görevimiz.

Dilbilgisi:

Eşek**le** köye gidiyor.   Deve**yle** Avrupaya gidiyor.

ile bağlacı: -le(-yle), -la(-yla)

i,e,ö,ü'den sonra	a,ı,o,u'dan sonra
—le (—yle)	—la(—yla)

Günder **ile** Bülent eve gidiyorlar.   = Günder'**le** Bülent eve gidiyorlar.

Valiz **ile** paketi buraya koy.   = Valiz**le** paketi buraya koy.

Turguy **ile** Deniz İzmir'e gidiyorlar. = Turgut'**la** Deniz İzmir'e gidiyorlar.

Çanta **ile** paketi masaya koyma.   = Çanta**yla** paketi masaya koyma.

Silgi **ile** kalemi çantaya koy.   = Silgi**yle** kalemi çantaya koy.

Paket **ile** trene bin.   = Paket**le** trene bin.

Sevim **ile** İstanbul'a git.   = Sevim'**le** İstanbul'a git.

Sadun **ile** Ankara'ya gel.   = Sadun'**la** Ankara'ya gel.

Ali **ile** eve git.   = Ali'**yle** eve git.

İmek eylemi: -im, -sin, -iz, -siniz, -ler

Ben	profesörüm
Sen	profesörsün
O	profesör
Biz	profesörüz
Siz	profesörsünüz
Onlar	profesörler

Ben	profesör değilim
Sen	profesör değilsin
O	profesör değil
Biz	profesör değiliz
Siz	profesör değilsiniz
Onlar	profesör değiller

Ben	memurum
Sen	memursun
O	memur
Biz	memuruz
Siz	memursunuz
Onlar	memurlar

Ben	memur değilim
Sen	memur değilsin
O	memur değil
Biz	memur değiliz
Siz	memur değilsiniz
Onlar	memur değiller

Ben	öğretmen değilim
Sen	öğretmen değilsin
O	öğretmen değil
Biz	öğretmen değiliz
Siz	öğretmen değilsiniz
Onlar	öğretmen değiller

Ben	öğretmenim
Sen	öğretmensin
O	öğretmen
Biz	öğretmeniz
Siz	öğretmensiniz
Onlar	öğretmenler

Türkçede iki ünlü yan yana gelmez: Hasta + ım = Hastayım.

Ben	hasta değilim
Sen	hasta değilsin
O	hasta değil
Biz	hasta değiliz
Siz	hasta değilsiniz
Onlar	hasta değiller

Ben	hastayım
Sen	hastasın
O	hasta
Biz	hastayız
Siz	hastasınız
Onlar	hastalar

Alıştırmalar:

1. Lütfen cevap veriniz.

1. Bülent nereden geliyor?   ....
2. Vural nereden geliyor?   ....
3. Bülent ve Vural evli mi?   ....
4. Vural nerede asistan?   ....
5. Memur ne istiyor?   ....
6. Kompartımanda kaç kişi var?   ....

AFFEDERSİNİZ   BURASI BOŞ MU?

2. Lütfen cevap veriniz.

Affedersiniz burası boş mu? —Evet, boş.

1. Affedersiniz sigaranız var mı?   ....
2. Affedersiniz ateşiniz var mı?   ....
3. Affedersiniz saatiniz kaç?   ....
4. Affedersiniz tuvalet nerede?   ....
5. Affedersiniz istasyon nerede?   ....

3. Lütfen boş yerlere -in (-ın, -un, -ün) eklerini yazınız.

> Öğretmen.......... kitabı. — Öğretmenin kitabı.

1. Ahmet Bey..........mektubu.
2. Turgut'..............babası
3. Günder'............. okulu.
4. Sınıf................ kapısı.
5. Bülent'.............. annesi.
6. Sadun'.............. kızı.

Sevim Hanım...... bavulu.
Sadun Bey.......... valizi.
Bülent............... babası
Okul................. kapısı.
Oda................. penceresi.
Ev.................... kapısı.

4. Lütfen cevap veriniz.

> Sen öğretmen misin? — Evet, öğretmenim.

1. Siz öğretmen misiniz?
2. Siz memur musunuz?
3. O Bülent mi?
4. Onlar öğrenci mi?
5. Onlar köylü mü?
6. O Turgut mu?

Hayır, öğretmen değilim...............
Evet,....................................
Hayır,....................................
Hayır,....................................
Evet,....................................
Evet,....................................

5. Lütfen tamamlayınız.

> Ben doktor.......... — Ben doktorum.

Ben   doktor.......................
Sen   doktor.......................
O   doktor.......................
Biz   doktor.......................
Siz   doktor.......................
Onlar doktor.......................

Ben   öğrenci.........................
Sen   öğrenci.........................
O   öğrenci.........................
Biz   öğrenci.........................
Siz   öğrenci.........................
Onlar öğrenci.........................

Tren*de*.. biniyorum.   Tren*den*. iniyorum.

6. Lütfen tamamlayınız.

1. İstanbul'.......gidiyorum.
2. İzmir'.......... geliyorum.
3. Nere............ geliyorsunuz?
4. Nere............ gidiyorsun?
5. Okul........... gidiyor.
6. Lise ....gidiyor.

7. Lütfen cevap veriniz.

> Bu tren nereye gidiyor? — İzmir'e gidiyor.

1. Bülent nereye gidiyor?   ....
2. Bülent nereden geliyor?   ....
3. Günder nereye gidiyor?   ....
4. Deniz nereye gidiyor?   ....
5. Deniz nereden geliyor?   ....
6. Günder nereden geliyor?   ....

8. Lütfen "ile" bağlacını birleşik yazınız.

> Yunus ile Erşan geliyorlar. — Yunus'la Erşan geliyorlar.

1. Ayşe   ile Mehmet geliyorlar.   *Ayşe'yle*
2. Yunus   ile Koray'ı bekle.   *Yunus'la*
3. Paket   ile valizi ver.   *paketle*
4. Bülent ile eve git.   *Bülent'le*
5. Erşan   ile İzmir'e gel.   *Erşan'la*
6. Fatma   ile okula git.   *Fatma'yla*
7. Ali   ile fakülteye gel.   *Ali'yle*
8. Çanta   ile kalemi al.   *Çantayla*

Postacı bisikletle eve gidiyor.

9. Lütfen cümle kurunuz.

> Uçak*la*....İstanbul'a gidiyorum. —Uçakla İstanbul'a gidiyorum.

1. Otobüs*le*
2. Vapur*la*
3. Tren*le*
4. Gemi*yle*
5. Uçak*la*
6. Bisiklet*le*

10. Lütfen soru cümlesine çeviriniz.

> Sınıf boş. —Sınıf boş mu?

1. Ankara yakın. ....
2. İstanbul uzak. ....
3. Oda güzel. ....
4. Ev büyük. ....
5. Çocuk küçük. ....
6. Sigara var. ....
7. Tren istasyonda. ....
8. Defter çantada. ....

11. Lütfen tamamlayınız.

1. Pencereyi açmayın.   Pencereleri kapamasınlar.
2. Çantayı....................   Çantaları................................
3. Kitabı....................   Kitapları................................
4. Defteri....................   Defterleri................................
5. Kapıyı....................   Kapıları................................
6. Valizi....................   Valizleri................................
7. Paketi....................   Paketleri................................

12. Lütfen olumsuz yapınız.

> Ankara'ya gidiyorum. — Ankara'ya gitmiyorum.

1. Boş yer var. ....
2. Evliyim. ....
3. İstanbul'a gidiyorum. ....
4. İzmir'de oturuyor. ....
5. Trende rötar var. ....
6. Ankara'da oturuyoruz. ....
7. İzmir'e gidiyoruz. ....
8. Yemek yiyorlar. ....
9. Liseye gidiyor. ....
10. Evden geliyor. ....

13. Lütfen sorunuz ve cevap veriniz.

> Siz evli ....? — Siz evli misiniz? -Hayır bekârım.

1. Sen bekâr...................? ....
2. O nişanlı.................... ? ....
3. Siz öğretmen.............. ? ....
4. Sen öğrenci................ ? ....
5. O doktor.................... ? ....
6. Onlar çocuk............... ? ....
7. Siz Ürdünlü............... ? ....
8. Sen İstanbullu............. ? ....
9. O İzmirli................... ? ....
10. Onlar Ankaralı.......... ? ....

14. Lütfen cevap veriniz.

1. Kaç çocuğunuz var? ....
2. Kaç kardeşiniz var? ....
3. Kaç kaleminiz var? ....
4. Sınıfta kaç öğrenci var? ....
5. Sınıfta kaç pencere var? ....
6. Sınıfta kaç masa var? ....
7. Evde kaç oda var? ....
8. Odada kaç kapı var? ....

KARŞILAMA

Anons: Dikkat, dikkat! İstanbul-Ankara ekspresi birinci perona girmek üzeredir.

Tamay: İstanbul-Ankara Ekspresi bu mu?

Deniz : Evet bu.

Tamay: Aaa, işte Bülent bize el sallıyor.

Bülent : Tamay, Deniz! Buradayım!

Deniz : Tamam gördük.

Tamay: Hoş geldin Bülent.

Deniz : Hoş geldin.

Bülent : Hoş bulduk Tamay, hoş bulduk Deniz.

Tamay: Nasılsın, iyi misin?

Bülent : Teşekkür ederim, iyiyim. Siz nasılsınız?

Deniz : Biz de iyiyiz.

Turgut: Beyefendi! Beyefendi!..

Bülent : Buyurun, bir şey mi var?

Turgut: Paketinizi trende unuttunuz.

Bülent : Aman Tanrım! Annem kaç defa "Dikkat et" dedi. Paketi yine unuttum. Çok teşekkür ederim.

Turgut: Rica ederim, ne önemi var.

Tamay: Eşyan tamam mı?

Bülent : Şimdi tamam.

Tamay: Öyleyse gidelim.

Bülent : Gidelim.

Deniz : Şurada bir taksi var.

Bülent : Hey taksi!

Şöför : Buyurun efendim. Nereye gidiyorsunuz?

Bülent : Maltepe'ye gidiyoruz.

Şöför : Olur efendim, gidelim. Maltepe'de hangi sokak?

Bülent : Süleyman Bey Sokak No: 17.

— Bu kimdir?
— Bu Tamay'dır.
— Tamay öğrenci mi?
— Evet, o üniversiteye gidiyor.

— Bu kimdir?
— O Deniz'dir.
— Deniz üniversiteye gidiyor mu?
— Evet, üniversitede pedagoji okuyor.

Tren peronda duruyor ve Bülent trenden iniyor. Elinde valiz, Deniz'in ve kardeşinin yanına geliyor. Onların elini sıkıyor. Tamay ve Deniz ona "Hoş geldin!" diyorlar. O da "Hoş bulduk!" diye cevap veriyor.

— Bülent trende ne unutuyor?
— Paketi unutuyor.
— Paketi ona kim veriyor?
— Turgut veriyor. Bülent de ona teşekkür ediyor.

YOLCULUK SONRASI

Deniz : Yolculuğun nasıl geçti?
Bülent : Çok iyi geçti.
Tamay: Yolda uyudun mu?
Bülent : Hayır, bir asistanla tanıştım. Hep onunla konuştum. Hiç uyumadım.
Deniz : Yolculuğun kaç saat sürdü?
Bülent : Yedi saat.
Tamay: Annen, baban nasıllar?
Bülent : Hepsi de çok iyi. İkisinin de sizlere çok selamları var.
Deniz : Günder nasıl?
Bülent : Günder de iyi.
Tamay: Derslerine çalışıyor mu?
Bülent : Hem de nasıl! Derslerine çok iyi çalışıyor.
Deniz : Niçin burada konuşuyoruz? Bülent yoldan geldi, yorgundur.
Tamay: Doğru, haydi eve gidiyoruz. Güzel bir kahvaltı yap, duş al, biraz dinlen.

Dilbilgisi:

İyelik ekleri: -im, -in, -i, -imiz, -iniz, -leri

	e, i'den sonra	ö,ü,'den sonra	a,ı'dan sonra	o,u'dan sonra
İyelik ekleri	-im,-in -i,-imiz -iniz -leri	-üm,-ün -ümüz -ünüz -leri	-ım,-ın -ı,-ımız -ınız -ları	-um,-un,-u -umuz -unuz -ları
Benim	kalemim	yüzüm	sınıfım	okulum
Senin	kalemin	yüzün	sınıfın	okulun
Onun	kalemi	yüzü	sınıfı	okulu
Bizim	kalemimiz	yüzümüz	sınfımız	okulumuz
Sizin	kaleminiz	yüzünüz	sınıfınız	okulunuz
Onların	kalemleri	yüzleri	sınıfları	okulları

Türkçede iki ünlü yan yana gelmez. Kelime sonundaki ünlüden sonra:

silgi -im	silgim	eşya -ım	eşyam
silgi -in	silgin	eşya -ın	eşyan
silgi -(s)i	silgisi	eşya -(s)ı	eşyası
silgi -imiz	silgimiz	eşya -ımız	eşyamız
silgi -iniz	silginiz	eşya -ınız	eşyanız
silgi -leri	silgileri	eşya -ları	eşyaları

İki ünlü arasındaki **ç,k,t,p** sert ünsüzleri yumuşayarak **c,ğ,g,b,d** olur:

sözlük-üm	sözlüğüm	dert - im	derdim
sözlük-ün	sözlüğün	dert - in	derdin
sözlük-ü	sözlüğü	dert - i	derdi
sözlük-ümüz	sözlüğümüz	dert - imiz	derdimiz
sözlük-ünüz	sözlüğünüz	dert - iniz	derdiniz
sözlük-leri	sözlükleri	dert - leri	dertleri

kitap - ım	kitabım	yurt - um	yurdum
kitap - ın	kitabın	yurt - un	yurdun
kitap - ı	kitabı	yurt - u	yurdu
kitap - ımız	kitabımız	yurt - umuz	yurdumuz
kitap - ınız	kitabınız	yurt - unuz	yurdunuz
kitap - ları	kitapları	yurt - ları	yurtları

-di'li geçmiş zaman:

gel - mek	gel - me - mek	bul - mak	bul - ma - mak
gel - di - m	gel - me - dim	bul - du - m	bul - ma - dım
gel - di - n	gel - me - din	bul - du - n	bul - ma - dın
gel - di	gel - me - di	bul - du	bul - ma - dı
gel - di - k	gel - me - dik	bul - du - k	bul - ma - dık
gel - di - niz	gel - me - diniz	bul - du - nuz	bul - ma - dınız
gel - di - ler	gel - me - diler	bul - du - lar	bul - ma - dılar

unut-mak	unut-ma-mak	gör-mek	gör-me-mek
unuttum	unutmadım	gördüm	görmedim
unuttun	unutmadın	gördün	görmedin
unuttu	unutmadı	gördü	görmedi
unuttuk	unutmadık	gördük	görmedik
unuttunuz	unutmadınız	gördünüz	görmediniz
unuttular	unutmadılar	gördüler	görmediler

Ad durum ekleri:

1. Tamlayan durumu: -in, (-ın, -ün, -un)

evin kapısı, sınıfın penceresi, Özgür'ün kalemi, okulun kapısı

Türkçede iki ünlü yan yana gelmez.

Ad ünlü ile biterse: -nin, (-nın, -nün,-nun)
Ayşe'nin çantası, Fatma'nın silgisi, köylünün elbisesi, komşunun evi

AYŞE'NİN ARABASI

2. Belirtme durumu: -i (-ı, -u, -ü)

Türkçede iki ünlü yan yana gelmez.Ad ünlü ile biterse:
Ayşe'yi, Fatma'yı, köylüyü, komşuyu

Pencereyi aç.   Pencereyi kapa.
Kapıyı kapa.   Kapıyı aç.
Kalemi ver.   Kalemi verme.
Mektubu yaz.   Mektubu yazma.
Paketi unutma.   Paketi unut.
Bavulu al.   Bavulu alma.
Valizi al.   Valizi alma.
Ayşe'yi çağır.   Ayşe'yi çağırma.

Alıştırmalar:

1. Lütfen cevap veriniz.

    1. Bülent nereden geliyor? ....
    2. Bülent ne ile geliyor? ....
    3. Bülent nereye geliyor? ....
    4. Bülent'i kimler karşılıyor? ....
    5. Bülent trende ne unutuyor? ....
    6. Bülent eve ne ile gidiyor? ....

2. Lütfen -di'li geçmiş zamana çeviriniz.

> Henrike Türkçe öğreniyor. — Henrike Türkçe öğrendi.

    1. Henrike üniversiteye gidiyor. ....
    2. Deniz kitap alıyor. ....
    3. Bülent taksiye biniyor. ....
    4. Bülent bavulu yerleştiriyor. ....
    5. Günder mektup yazıyor. ....
    6. Vural Almanya'dan geliyor. ....
    7. Bülent memura soruyor. ....
    8. Öğrenciler sınıftan çıkıyor. ....

3. Lütfen -di'li geçmiş zamana çeviriniz.

> Tren istasyona geliyor.- Tren istasyona geldi.

    1. Tren perona giriyor. ....
    2. Bülent Ankara'ya geliyor. ....
    3. Deniz, Bülent'i karşılıyor. ....
    4. Bülent paketi unutuyor. ....
    5. Bülent teşekkür ediyor. ....
    6. Turgut paketi veriyor. ....
    7. Deniz Bülent'i görüyor. ....
    8. Tamay eve gidiyor. ....

4. Lütfen tamamlayınız.

Benim	kardeşim	annem	babam
Senin	kardeş.........	anne.........	baba.........
Onun	kardeş.........	anne.........	baba.........
Bizim	kardeş.........	anne.........	baba.........
Sizin	kardeş.........	anne.........	baba.........
Onların	kardeş.........	anne.........	baba.........

Benim	çocuğum	mektubum	sözlüğüm
Senin	çocu............	mektu........	sözlü..............
Onun	çocu............	mektu........	sözlü..............
Bizim	çocu............	mektu........	sözlü..............
Sizin	çocu............	mektu........	sözlü..............
Onların	çocu............	mektu........	sözlü..............

5. Lütfen tamamlayınız.

Deniz ve Tamay istasyon ... lar. Bülent' ... karşılıyorlar. Tren geliyor ve duruyor. Bülent, tren..... iniyor, Tamay'ın ve Deniz'in yanı... geliyor. Deniz ve Tamay, "Hoş geldin!" diyorlar. Deniz ve Tamay paketler..... alıyorlar. Bülent valiz..... alıyor. İstasyon... çıkıyorlar. Taksi... biniyorlar. Ev.... gidiyorlar.

6. Lütfen cümle kurunuz.

> Bülent - İstanbul - gelmek — Bülent İstanbul'dan geldi.

1. Bülent - gelmek.

....

2. Bülent - tren - gelmek.

....

3. Bülent - dün - İstanbul - gelmek.

....

1. Tamay - Bülent - karşılamak.

....

2. Tamay - Bülent - istasyon - karşılamak.

....

3. Tamay - Bülent - bugün - istasyon - karşılamak.

....

7. Lütfen cevap veriniz.

Bu kimin silgisi? — Benim silgim.

Bu kimin bileti?   ....

Bu kimin parası?   ....

Bu kimin evi?   ....

Bu kimin çantası?   ....

Bu kimin masası?   ....

Bu kimin resmi?   ....

8. Lütfen cevap veriniz

> Siz doktor musunuz? — Hayır, resim öğretmeniyim.

1. Siz evli misiniz?   Hayır,.................................
2. Siz bekâr mısınız?   Evet,.................................
3. Siz öğretmen misiniz?   Evet,.................................
4. Siz öğrenci misiniz?   Hayır,.................................
5. Siz Türk müsünüz?   Hayır,.................................
6. Siz Libyalı mısınız?   Evet,.................................

9. Lütfen tamamlayınız.

1. Paketinizi unuttunuz.
2. Kalem....................
3. Valiz......................
4. Çanta....................
5. Sigara....................
6. Eşya......................
7. Gözlük..................
8. Börek....................
9. Reçel....................

GÖZLÜĞÜNÜZÜ UNUTTUNUZ.!

10. Lütfen cevap veriniz.

> Sınıfta kim var? — Öğrenciler var.

1. Orada kim var?   ....
2. Burada kim var?   ....
3. Şurada kim var?   ....
4. Okulda kim var?   ....
5. Trende kim var?   ....
6. Peronda kim var?   ....
7. İstasyonda kim var?   ....
8. Yanında kim var?   ....

11. Aşağıdaki her cümle için **kim, ne, nereye, nerede, nereden** ve **kaç** kelimelerini kullanarak soru sorunuz.

> Ahmet istasyonda. —Ahmet **nerede?**

1. Çiğdem sınıfa girdi. ....
2. Sınıfta öğrenciler var. ....
3. Pakette reçel var. ....
4. Daha beş dakika var. ....
5. Burada üç öğrenci var. ....
6. Öğretmen burada. ....
7. Çanta masada. ....
8. Kitap çantada. ....
9. Annem geldi. ....
10. Babası gitti. ....

Öğrenciler sınıftan çıktılar.

12. Lütfen cevap veriniz.

> Tamay istasyona gitti mi? —Evet, gitti.

1. Deniz istasyona gitti mi? ....
2. Siz, istasyona gittiniz mi? ....
3. İstanbul'a gittiniz mi? ....
4. Ders çalıştınız mı? ....
5. Bülent paketi nerede unuttu? ....

Yatağan - Muğla

KAHVALTI

6

Tamay: Kahvaltı yapacaksın değil mi?

Bülent : Hayır yapmayacağım. Aç değilim. Çok yorgun ve uykusuzum. Şimdi hemen uyuyacağım.

Tamay: Çay hazır. Bir duş al. Yorgunluğun çıksın. Kahvaltıda bir şeyler ye, sonra da uyu.

Bülent : Kahvaltıda neler var?

Deniz : Sen ne istiyorsun? Ben şimdi bakkala gideceğim. Yumurta, bal, zeytin alacağım.

Bülent : Şu paketi açın. İçinde börek ve reçel var. Annem koydu.

Tamay: Hem de vişne ve çilek reçeli var.

Deniz : Börekler de çok güzel.

Bülent : Annem güzel börek yapar.

Tamay: Haydi, sen duş al.

Bülent : Acele etmeyin, duş alacağım.

Tamay: Ama kahvaltı hazır, bizi bekletme.

Bülent : Deniz bakkala gidecek. Bal, yumurta, zeytin alacak.

Deniz : Tamam, ben bakkala gidiyorum. Sen de duş al, tıraş ol.

Bülent : Ben beş dakikada hazır olacağım.

Tamay: Ben de kahvaltı sofrasını hazırlayacağım.

Bülent : Bir tabağa vişne reçeli koy.

Tamay: Olur. Kahvaltıda süt mü, çay mı içeceksin?

Bülent : Siz ne içeceksiniz?

Tamay: Biz çay içeceğiz.

Bülent : Ben de çay içeceğim. Yorgunluğa iyi gelir.

Tamay: İyi bir kahvaltı yorgunluğun en iyi ilacıdır.

Bülent : Bu sözün doğru. Haydi sen kahvaltıyı hazırla. Ben de hemen geleceğim. Bir dakika! Sormayı unuttum.   Mektup kağıdı ve zarf var mı?

Tamay: **Var, kime yazacaksın?**

Bülent : Anneme yazacağım. Söz verdim.

— Bir kilo peynir kaç lira?
— Bir kilo peynir 300 lira.
— Yarım kilo peynir kaç lira?
— $300 \div 2 = 150$ lira.

— Bir yumurta kaç lira?
— Bir yumurta 10 lira.
— Beş yumurta kaç lira?
— $10 \times 5 = 50$ lira.

— Bir litre süt kaç lira?
— Bir litre süt elli lira.
— Yarım litre süt kaç lira?
— $50 \div 2 = 25$ lira.

Bir şişe vişne reçeli 150 lira.
Bir şişe bal 200 lira.
Bir şişe bal ve bir şişe vişne reçeli
$150 + 200 = 350$ lira.

SÜPERMARKETTE

Tezgahtar: Buyurun efendim.
Deniz   : Beyaz peynir var mı?
Tezgahtar: Var. Ne kadar istiyorsunuz?
Deniz   : Kilosu kaç lira?
Tezgahtar: Kilosu 300 lira.
Deniz   : Lütfen yarım kilo beyaz peynir.
Tezgahtar: Başka arzunuz?
Deniz   : Bir yumurta kaç lira?
Tezgahtar: Bir yumurta 10 lira.
Deniz   : Lütfen beş yumurta.
Tezgahtar: Evet, başka arzunuz?
Deniz   : Bir şişe bal, üç yüz gram zeytin.
Tezgahtar: Bir şişe bal 200 lira. Zeytinin kilosu 100 lira. 300 gramı 30 lira.
Deniz   : Hepsi toplam ne kadar yapıyor?
Tezgahtar: 150 lira peynir, 50 lira yumurta, 200 lira bal, 30 lira da zeytin, hepsi
           toplam 430 lira yapıyor.
Deniz   : Teşekkür ederim. Hayırlı işler!
Tezgahtar: Biz de teşekkür ederiz. İyi günler.

Dilbilgisi:

yolcu   uçak   yolcu uçağı

Belirtisiz ad tamlaması:

ilkokul + öğretmen	= ilkokul öğretmeni
Ankara + ekspres	= Ankara ekspresi
İstanbul + tren	= İstanbul treni
öğrenci + kitap	= öğrenci kitabı
lise + öğrenci	= lise öğrencisi
çay + bardak	= çay bardağı
vişne + reçel	= vişne reçeli

Belirtili ad tamlaması:

öğretmen + palto	= öğretmenin paltosu
öğrenci + çanta	= öğrencinin çantası
okul + doktor	= okulun doktoru
Turgut + baba	= Turgut'un babası
Özgür + anne	= Özgür'ün annesi
inek + süt	= ineğin sütü
sınıf + kapı	= sınıfın kapısı
ağaç + yaprak	= ağacın yaprağı

DEVAM EDECEKSİN, DEĞİL Mİ?

Gelecek zaman: -acak, -ecek

gel - mek	gel -me-mek	git - mek	git - me - mek
gel **eceğ**-im	gel-me-y-**eceğ**-im	gid - **eceğ** - im	git -me-y-**eceğ**-im
gel-**ecek**-sin	gel-me-y-**ecek**-sin	gid - **ecek** - sin	git-me-y-**ecek**-sin
gel-**ecek**	gel-me-y-**ecek**	gid - **ecek**	git-me-y-**ecek**
gel-**eceğ**-iz	gel-me-y-**eceğ**-iz	gid - **eceğ** - iz	git-me-y-**eceğ**-iz
gel-**ecek**-siniz	gel-me-y-**ecek**-siniz	gid - **ecek** - siniz	git-me-y-**ecek**-siniz
gel-**ecek**-ler	gel-me-y-**ecek**-ler	gid - **ecek** - ler	git-me-y-**ecek**-ler

uyu-mak	uyu-ma-mak	al-mak	al-ma-mak
uyuy**acağ**ım	uyumay**acağ**ım	al**acağ**ım	almay**acağ**ım
uyuy**acak**sın	uyumay**acak**sın	al**acak**sın	almay**acak**sın
uyuy**acak**	uyumay**acak**	al**acak**	almay**acak**
uyuy**acağ**ız	uyumay**acağ**ız	al**acağ**ız	almay**acağ**ız
uyuy**acak**sınız	uyumay**acak**sınız	al**acak**sınız	almay**acak**sınız
uyuy**acak**lar	uyumay**acak**lar	al**acak**lar	almay**acak**lar

Son sesi ünlü olan eylemler ile gelecek zaman ekleri arasına -y- koruyucu ünsüzü girer: uyu-**y**-acak, dinle-**y**-ecek alma-**y**-acak, gelme-**y**-ecek gibi.

Alıştırmalar:

1. Lütfen cevap veriniz.

1. Kimler kahvaltı yapıyor? ....
2. Kahvaltıda neler var? ....
3. Pakette neler var? ....
4. Süpermarkete kim gidiyor? ....
5. Deniz neler alıyor? ....
6. Kim tıraş oluyor? ....
7. Çayı kim hazırlıyor? ....
8. Kim duş alıyor? ....

2. Lütfen cevap veriniz.

Kahvaltı yapacaksın değil mi? - Evet yapacağım.

1. Ders çalışacaksın değil mi?   Evet.......................................
2. Okula gideceksin değil mi?   Hayır,.......................................
3. Uyuyacağız değil mi?   Hayır,.......................................
4. Dinleneceğiz değil mi?   Evet,.......................................
5. Reçel yiyeceksin değil mi?   Evet,.......................................
6. Duş alacaksın değil mi?   Hayır,.......................................

3. Lütfen gelecek zamana çeviriniz.

Bülent kahvaltı yapıyor. - Bülent kahvaltı yapacak.

1. Tamay çay hazırlıyor. ....
2. Deniz süpermarkete gidiyor. ....
3. Bülent tıraş oluyor. ....
4. Bülent duş alıyor. ....
5. Tamay paketi açıyor. ....
6. Deniz eve geliyor. ....
7. Bülent odada uyuyor. ....
8. Bülent mektup yazıyor. ....

4. Lütfen belirtili ad tamlaması yapınız.

> Tamay - kalem - Tamay'ın kalemi

öğretmen - palto   ....
sınıf - pencere   ....
okul - kapı   ....
öğrenci - bisiklet   ....
annemiz - elbise   ....
Deniz - baba   ....
sen - oda   ....
biz - sınıf   ....

5. Lütfen belirtisiz ad tamlaması yapınız.

çilek - reçel   ....
ortaokul - öğretmen   ....
üniversite - öğrenci ....
yazı - makina   ....
çiftlik - bal   ....
Ankara - uçak   ....
yatak - oda   ....
İstanbul - yolcu   ....

6. Lütfen cümle kurunuz.

Bülent - yarın - İstanbul - gelmek — Bülent yarın İstanbul'dan gelecek.

---

1. Bülent-Ankara-gelmek

....

2. Bülent-yarın-Ankara-gelmek

....

3. Bülent-sabah-yarın-Ankara-gelmek

....

4. Bülent-sabah-yarın-tren-Ankara-gelmek

....

1. Biz-Türkçe-öğrenmek

....

2. Biz-Türkçe-Ankara-öğrenmek

....

3. Biz-Türkçe kursu-Ankara-Türkçe-öğrenmek

....

4. Biz-Türkçe kursu-Ankara-bir yıl-Türkçe-öğrenmek

....

7. Lütfen sorunuz ve cevap veriniz.

> Buraya neyle geldiniz? - Otobüsle geldim.

1. Buraya neyle geldiniz ?	Trenle geldim.
2. .... ?	Uçak..
3. .... ?	Gemi..
4. .... ?	Bisiklet..
5. .... ?	Taksi..
6. .... ?	Araba...
7. .... ?	Yürüyerek......................................

Ahmet Bey yürüyerek İstanbul'dan Ankara'ya geliyor.

8. Lütfen sorunuz ve cevap veriniz.

1. Oraya ne zaman gittin?	Pazartesi günü gittim.
2. .... ?	Salı..
3. .... ?	Çarşamba..
4. .... ?	Perşembe..
5. .... ?	Cuma...
6. .... ?	Cumartesi.......................................
7. .... ?	Pazar...

9. Lütfen cevap veriniz.

Bugün ne? — Bugün pazartesi.

1. Bugün ne?   ....
2. Yarın ne?   ....
3. Bugün pazar mı?   ....
4. Yarın cuma mı?   ....
5. Bugün çarşamba mı?   ....
6. Yarın perşembe mi?   ....
7. Bugün salı mı?   ....

10. Lütfen sorunuz ve cevap veriniz.

Babanız ne zaman gelecek? — On beş ocakta.

1. Abla.............................. ?   ....
2. Ağabey.......................... ?   ....
3. Arkadaş........................ ?   ....
4. Kız kardeş...................... ?   ....
5. Anne............................. ?   ....

11. Lütfen sorunuz ve cevap veriniz.

1. Ali nereye gitmek istiyor ?   Sinemaya gitmek istiyor.
2. Monika.......................... ? Tiyatroya...........................
3. Öğretmen..................... ......? Eve....................................
4. Kemal........................... ......? Okula..................................
5. Sevim.......................... ......? İstasyona..............................

Bozukkale - Datça

7

Ankara, 20.3.1982

Sevgili Anneciğim,

Yolculuğum oldukça iyi geçti. Biliyorsun, gece yolculuğunu hiç sevmem. Ama bu sefer hayatım- dan memnundum. Çünkü çok iyi bir yol arkadaşım vardı. Sabaha kadar onunla sohbet ettik.

Tren biraz rötar yaptı. İs- tasyona saat dokuzda girdik. Tamay ve Deniz beni karşıladılar. Hemen bir taksiye binip eve gittik. Uykusuz ve açtım. Çocuklar güzel bir kahvaltı hazırladılar. Börek- lerin ve reçellerin çok güzeldi, eline sağlık.

Tamay ve Deniz'in sınavına iki gün kaldı; gece gündüz ders çalışıyorlar. Sınavdan sonra onlar da mektup yazacaklar.

Sizler nasılsınız? Babam iyi mi? Günder, benim tatlı, çalışkan kardeşim sizi üzmüyor değil mi?

İyi haberlerinizi dört gözle bekliyoruz, canım anneciğim.

Bülent

Bülent Şamlı
Süleyman Bey sok.
Park apt. № 17/11
Maltepe
ANKARA

2½ LIRA
TÜRKİYE
CUMHURİYETİ POSTA

Sayın Sevim Şamlı
Ataçam sok. № 8/12
Aksaray
İSTANBUL

BY AIR MAIL
UÇAK İLE

Kâtip

Üsküdara gider iken aldı da bir yağmur
Kâtibimin setresi uzun, eteği çamur
Kâtip uykudan uyanmış, gözleri mahmur
Kâtip benim, ben kâtibin el ne karışır.
Kâtibime kolalı da gömlek ne güzel yaraşır.

Üsküdara gider iken bir mendil buldum.
Mendilin içine de lokum doldurdum.
Kâtibimi arar iken yanımda buldum.
Kâtip benim, ben kâtibin el ne karışır.
Kâtibime kolalı da gömlek ne güzel yaraşır.

KÂTİP

Üsküdara gideriken bir mendil buldum
Mendilin içine de lokum doldurdum
Katibimi ararıken yanımda buldum

(Nakarat)

Gülsevil Doktorda

— Şikayetiniz nedir?
— Başım ağrıyor.

— Başınızın neresi ağrıyor?
— Şu yan kısımlar ağrıyor.

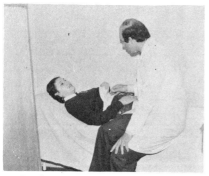

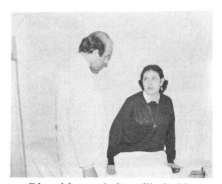

— Başka ağrınız var mı?
— Bir de karnımda ağrı var.

— Bir mide ve akciğer filmi aldırın.
İdrar ve kan tahlili yaptırın.

— Neyim var, Doktor Bey?
— Biraz üşütmüşsünüz. İdrar ve
kan tahlilleriniz normal.

Bu ilaçları kullanın. On gün sonra
kontrole gelin.
— Teşekkür ederim.

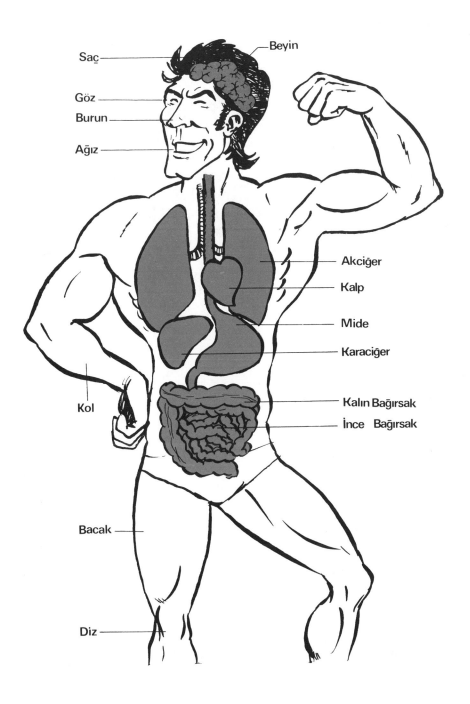

Saç

Göz

Burun

Ağız

Beyin

Akciğer

Kalp

Mide

Karaciğer

Kol

Kalın Bağırsak

İnce Bağırsak

Bacak

Diz

8

ESEN HANIMIN BİR GÜNÜ

Esen Hanım sabahları saat yedide uyanıyor. Elini yüzünü yıkıyor. Dişlerini fırçalıyor. Saat yedi otuzda kahvaltısını yapıyor. Elbisesini giyiyor. Saat sekizde işine gidiyor. Esen Hanım öğretmendir. Erksin Hanımla aynı okulda çalışıyor. Bu akşam Esen Hanımın misafirleri var. İşten saat beşte çıkıyor. Misafirlere pasta ve börek hazırlıyor. Misafirler akşam saat sekiz otuzda geliyorlar. Hepsi birlikte sohbet ediyorlar. Bir saat sonra Esen Hanım misafirlere pasta ve börek ikram ediyor.

Esen Hanım : Siz ne içersiniz Erksin Hanım?

Erksin Hanım: Ben çay rica edeceğim.

Esen Hanım : Siz ne içersiniz Emin Bey?

Emin Bey : Lütfen bana kahve.

Esen Hanım : Kahveniz nasıl olsun? Az şekerli mi, çok şekerli mi?

Emin Bey : Orta şekerli lütfen.

Esen Hanım : Başka kim kahve içecek?

Berna Hanım : Ben çay rica edeceğim.

Cengiz Bey : Ben de çay içeceğim

Lütfi Bey : Mümkünse ben viski rica edeceğim.

Esen Hanım : Elbette.

Berna Hanım : Viskiyi fazla içme. Dönüşte araba kullanacaksın.

Lütfi Bey : Yok canım. Birkaç kadehten bir şey olmaz.

Berna Hanım : Öyle söyleme, geçen defasında iyice sarhoş oldun.

Erksin Hanım: Kavgayı bırakın. Çaylar soğuyacak.

Esen Hanım : Erksin Hanım haklı. Kavgayı bırakın. Biraz pasta ve böreklerden de alın. Hepsini sizin için yaptım.

Erksin Hanım: Elinize sağlık. Hepsi çok güzel olmuş.

Esen Hanım : Afiyet olsun!

— Emin Bey ne içiyor?
— Kahve.
— Kahvesi şekerli mi, şekersiz mi?
— Orta şekerli.

— Berna Hanım ne içiyor?
— Çay.
— Çayı açık mı, koyu mu?
— Açık. Berna Hanım demli çayı sevmiyor.

— Lütfi Bey ne içiyor?
— Viski.
— Viski de mi alkol çok, şarapta mı?
— Viskide alkol çok. Lütfi Bey sert içkiden hoşlanıyor.

— Cengiz Bey ne içiyor?
— O da çay içiyor.
— Niçin viski içmiyor?
— Cengiz Bey alkollü içkiden hoşlanmıyor.

İş Saati

Berna Hanım : Saat kaç?
Erksin Hanım: Saat on ikiye beş var.
Berna Hanım : Vakit gece yarısı olmuş. Hemen kalkalım.
Esen Hanım : Biraz daha oturun. Ne güzel konuşuyoruz.
Berna Hanım : Çocukları anneme bıraktım. Sabahleyin işe erken gideceğim.
Esen Hanım : İşe saat kaçta gidiyorsunuz?
Berna Hanım : Saat sekizde.
Erksin Hanım: Ben de erken kalkacağım. Sekizde işe gidiyoruz. Ama en geç ye-
               dide kalkıyoruz.
Esen Hanım : Ben de öyle. Genellikle saat yedide kalkıyorum. Kahvaltı ve yol
               bir saatten eksik sürmüyor.
Berna Hanım : Okula neyle gidiyorsun?
Esen Hanım : Yürüyerek gidiyorum. Yaya on beş dakika sürüyor.
Erksin Hanım: Bizim ev okula uzak. Otobüsle ancak yarım saatte gidiyorum.
Berna Hanım : Yaya ne kadar sürüyor?
Erksin Hanım: İki saat.
Berna Hanım: Çok fazla. Benim ev de işyerine uzak. Ben de arabayla gidiyo-
               rum.
Esen Hanım : Lütfi Bey ne yapıyor?
Berna Hanım : Evden on dakika önce çıkıyoruz. Eşim beni arabayla işyerine
               bırakıyor. Sonra kendi işyerine gidiyor.
Esen Hanım : Çok güzel. Sizleri oturmaya sık sık bekleriz.
Berna Hanım: Biz geldik. Artık sıra sizde. Biz de sizi oturmaya bekliyoruz.

89

Dilbilgisi:

Ad durum ekleri:

Yalın durum	ev	sınıf	okul	köy
Belirtme durumu	evi	sınıfı	okulu	köyü
Yönelme durumu	eve	sınıfa	okula	köye
Kalma durumu	evde	sınıfta	okulda	köyde
Uzaklaşma durumu	evden	sınıftan	okuldan	köyden
Tamlayan durumu	evin	sınıfın	okulun	köyün

Evi   alıyorum.
Eve   gidiyorum.
Evde kalıyorum.
Evden geliyorum.
Evin penceresi.

Sınıfı   temizliyorum.
Sınıfa   gidiyorum.
Sınıfta oturuyorum.
Sınıftan geliyorum.
Sınıfın kapısı.

Okulu   seviyorum.
Okula   gidiyorum.
Okulda   okuyorum.
Okuldan geliyorum.
Okulun   bahçesi.

Köyü   görüyorum.
Köye   gidiyorum.
Köyde   kalıyorum
Köyden geliyorum.
Köyün   yolu.

Kişi zamirleri: ben, sen, o, biz, siz, onlar

Yalın durum	ben	sen	o	biz	siz	onlar
Belirtme durumu	beni	seni	onu	bizi	sizi	onları
Yönelme durumu	bana	sana	ona	bize	size	onlara
Kalma durumu	bende	sende	onda	bizde	sizde	onlarda
Uzaklaşma durumu	benden	senden	ondan	bizden	sizden	onlardan
Tamlayan durumu	benim	senin	onun	bizim	sizin	onların
Eşitlik durumu	bence	sence	onca	bizce	sizce	onlarca

BENDEN HOŞLANIYOR.!

Beni seviyor.	Onu bekliyorum.	Bizi tanıyor.
Bana geliyor.	Ona yazıyorum.	Bize geliyor.
Bende kalıyor.	Onda kalıyorum.	Bizde yatıyor.
Benden hoşlanıyor.	Ondan geliyorum.	Bizden hoşlanıyor.
Benim eşim.	Onun paltosu.	Bizim okul.
Bence çok güzel.	Onca iyi değil.	Bizce çok iyi.

İşaret zamirleri: bu, şu, o, bunlar, şunlar, onlar

Yalın durum	bu	şu	o	bunlar	şunlar	onlar
Belirtme durumu	bunu	şunu	onu	bunları	şunları	onları
Yönelme durumu	buna	şuna	ona	bunlara	şunlara	onlara
Kalma durumu	bunda	şunda	onda	bunlarda	şunlarda	onlarda
Uzaklaşma durumu	bundan	şundan	ondan	bunlardan	şunlardan	onlardan
Tamlayan durumu	bunun	şunun	onun	bunların	şunların	onların
Eşitlik durumu	bunca	şunca	onca	bunlarca	şunlarca	onlarca
Yön gösterme	bura	şura	ora	buralar	şuralar	oralar

Bunu   alıyorum.
Buna   bakıyorum.
Bunda   iş var.
Bundan   hoşlandım.
Bunun   kopyası.
Bunca   insan aç.
Bura   neresi?

Bunları   beğendim.
Bunlara   baktım.
Bunlarda çay var.
Bunlardan alıyorum.
Bunların içi boş.
Bunlarca hava hoş.
Buralar   çok sıcak.

Şunu   alıyorum.
Şuna   bakıyorum
Şunda   kalem var.
Şundan   istiyorum
Şunun   parçası bozuk.
Şunca   yemek bozuldu.
Şura   neresi?

Şunları   istiyorum.
Şunlara   bayıldım.
Şunlarda leke var.
Şunlardan alıyorum.
Şunların rengi güzel.
Şunlarca sakınca yok.
Şuralar   güzel.

Onu   getirin.
Ona   para verin.
Onda   süt var.
Ondan   istiyorum.
Onun   aynısı.
Onca   yemek yedi.
Ora   neresi?

Onları   sordum.
Onlara   gittim.
Onlarda   para var.
Onlardan alıyorum.
Onların   kutusu.
Onlarca   hava hoş.
Oralar   çok soğuk

Soru zamirleri: kim, ne

Yalın durum	**kim**	**kimler**	**ne**	**neler**
Belirtme durumu	kimi	kimleri	neyi	neleri
Yönelme durumu	kime	kimlere	neye	nelere
Kalma durumu	kimde	kimlerde	nede	nelerde
Uzaklaşma durumu	kimden	kimlerden	neden	nelerden
Tamlayan durumu	kimin	kimlerin	neyin	nelerin
Eşitlik durumu	kimce	kimlerce	nece (nice)	—
Yön gösterme	—	—	nere	—

Neyi   alıyorsun?
Neye   karar verdin?
Nede   karar kıldın?
Neden gelmedin?
Neyin var?
Nece   konuşuyor?
Nice   mutlu yıllar.

Kimleri   davet ettiniz?
Kimlere   mektup yazdınız?
Kimlerde para var?
Kimlerden para istediniz? -
Kimlerin kardeşi geliyor?
Kimlerce sakınca yok?

Kimi   istiyorsun?
Kime   bakıyorsunuz?
Kimde   kalem var?
Kimden para aldınız?
Kimin   kalemi siyah?
Kimce   sakınca yok.

Lütfen fotoğraflara bakınız ve cevap veriniz.

— Esen Hanım çantaya ne koyuyor?

....

— Esen Hanım neyi açıyor?

— ....

— Esen Hanım ne fırçalıyor?

— ....

— Esen Hanım fırından ne alıyor?

....

— Esen Hanım tabağa ne koyuyor?

....

— Esen Hanım, Berna Hanıma ne ikram ediyor?

....

Alıştırmalar:

1. Lütfen cevap veriniz.

1. Esen Hanım saat kaçta uyanıyor?
2. Esen Hanım işe saat kaçta gidiyor?
3. Esen Hanım misafirlere ne hazırlıyor?
4. Misafirler saat kaçta geliyor?
5. Esen Hanım nerede çalışıyor?
6. Esen Hanım işten ne zaman dönüyor?

2. Lütfen cevap veriniz.

Beni kim sordu? — Sizi Ahmet Bey sordu.

1. Beni kim aradı?	Sizi Cengiz Bey aradı.
2. Bana kim not bıraktı?	Size.................................
3. Bende suç var mı?	Hayır, sizde.............................
4. Benden ne istiyorsun?	Sizden.................................
5. Benim araba nerede?	Sizin.................................
6. Sizce bu nasıl?	Bence.................................

3. Lütfen cevap veriniz.

Bu evi alıyor musunuz? — Evet, bu evi alıyorum.

1. Bu evi alıyor musunuz?   Hayır...
2. Bugün eve gidiyor musunuz?   Evet...
3. Bu akşam evde misiniz?   Evet...
4. Şimdi evden mi geliyorsunuz?   Hayır...
5. Evin kapısı açık mı?   Hayır...

4. Lütfen cevap veriniz.

Hangisini alıyorsunuz? — Bunu alıyorum.

1. Hangisini istiyorsunuz?   Şunu istiyorum...........................
2. Hangisine bakıyorsunuz?   Şuna...
3. Hangisinde kalem var?   Şunda...
4. Hangisinden alıyorsun?   Şundan...
5. Hangisinin kapısı açık?   Şunun...
6. Hangisince sakınca yok?   Şunca...
7. Hangisine getireyim?   Şuraya...

5. Lütfen cevap veriniz.

1. Hangilerini alıyorsunuz?   ....
2. Hangilerini almıyorsunuz?   ....
3. Hangilerinden istiyorsunuz?   ....
4. Hangilerini beğendiniz?   ....
5. Hangilerinin çocuğu var?   ....
6. Hangileri daha güzel?   ....

6. Lütfen cevap veriniz.

1. Neleri   okudun?   ....
2. Nelere   baktın?   ....
3. Nelerde   silgi var?   ....
4. Nelerden aldın?   ....
5. Nelerin   biçimi güzel?   ....

7. Lütfen cevap veriniz.

> Hangi kitabı okuyorsun? — Bu kitabı okuyorum.

1. Hangi kitabı istiyorsun? ....
2. Hangi eve gidiyorsun? ....
3. Hangi odada kalıyorsun? ....
4. Hangi okulda okuyorsun? ....
5. Hangi üniversiteden geliyorsun? ....
6. Hangi kitapları okuyorsun? ....

8. Lütfen cevap veriniz.

> Kimi soruyorsunuz? — Ayşe'yi soruyorum.

1. Kimi arıyorsunuz? ....
2. Kime bakıyorsunuz? ....
3. Kimde kalıyorsunuz? ....
4. Kimden geliyorsunuz? ....
5. Kimin evinde oturuyorsunuz? ....
6. Kimce bu kitap güzel? ....
7. Kimlere para verdin? ....
8. Kimlerde kalem var? ....
9. Kimlerin babası memur? ....
10. Kimleri davet ettin? ....

9. Lütfen soru sorunuz.

> Esen Hanıma bakıyorum. — Kime bakıyorsun?

1. Berna Hanımlarda kalıyorum. ....
2. Erksin Hanıma yazıyorum. ....
3. Esen Hanımdan geliyorum. ....
4. Cengiz Beyin arabasını aldım. ....
5. Lütfi Beyi arıyorum. ....
6. Esen Hanıma kahve veriyorum. ....

10. Lütfen cevap veriniz.

> Neyi beğendiniz? — Bu elbiseyi beğendim.

1. Neyi istediniz?   Bu paltoyu istedim.
2. Neye karar verdiniz?   Bu.............................
3. Neden geç geldiniz?   İşten..........................
4. Nelere baktınız?   Bu.............................
5. Neyi beğendiniz?   Şu.............................
6. Nere gidiyorsunuz?   Oraya..........................
7. Neyin var?   Bir şeyim......................
8. Neleri gördünüz?   Şu.............................

11. Lütfen soru sorunuz.

> Bugün okula gittim. — Bugün nere gittiniz?

1. Bu pastayı seviyorum.   ....
2. Şu defterleri aldım.   ....
3. Bu börekleri rica ediyorum.   ....
4. Çayı şekerli içiyorum.   ....
5. Kahve ve çayı şekerli içiyorum.   ....
6. Şu peynirden alıyorum.   ....

Topkapı Sarayında Harem - İstanbul

9   **FAKÜLTEDE**

Deniz : Günaydın.
Monika: Günaydın. Affedersiniz, öğ-
renci İşleri nerede?

Deniz : Birinci katta, sağda ikinci oda.
Ben de o tarafa gidiyorum. Be-
nimle gelin, beraber gidelim.

Monika: Çok iyisiniz, teşekkür ederim.

Deniz : Bir şey değil. Türkçeniz çok
iyi. Güzel konuşuyorsunuz.
Türkiye'ye ne zaman geldiniz?

Monika: Aşağı yukarı bir yıl oldu.
Türkçe kurslarına gittim.

Deniz : Nerede kalıyorsunuz?

Monika: Üç arkadaş bir ev kiraladık.

Deniz : Fransız mısınız?

Monika: Hayır Almanım.

Deniz : Arkadaşlarınız da Alman mı?

Monika: Hayır, biri İranlı, diğeri İtal-
yan. Siz nerede kalıyorsunuz,
yurtta mı?

Deniz : Hayır, evde kalıyorum.

Monika: Kirada mı oturuyorsunuz?

Deniz : Hayır, kendi evimiz.

Monika: Ne kadar iyi! Kiralık ev bul-
mak çok zor.

Deniz : İşte Öğrenci İşlerine geldik.
Ben de yanınızda kalayım. Bel-
ki size yardımım olur.

Monika: Tabii. Çok teşekkür ederim.
İyi olur.

Memur : Buyurun.

Monika: Kaydımı yaptırmak istiyorum.

Memur : Dilekçe yazdınız mı?

Monika: Evet, buyurun.

Memur : İmzanız yok. Lütfen şurayı im-
zalayın. Diploma ve tercümesi,
lise son sınıf notları, pasaport
tercümesi, oturma izin belgesi
var mı?

Monika: Evet, gerekli bütün belgeler
yanımda.

Memur : Lütfen hepsini verin. Hemen
işinizi yapalım.

Monika: Teşekkür ederim, işte hepsi bu-
rada.

FAKÜLTEYE KAYIT DİLEKÇESİ

Monika: Bir dilekçe yazacağım.
Tamay : Ne dilekçesi?
Monika: Fakülteye kayıt yaptıracağım.
Tamay : Birlikte yazalım.
Monika: Teşekkür ederim.
Tamay : Hangi bölüme kayıt yaptırmak istiyorsun?
Monika: Türk Dili ve Edebiyatı bölümüne.
Tamay : Bu bölüm bir yabancı için zor değil mi?
Monika: Evet zor. Ama Türkçeyi daha iyi öğrenmek istiyorum.
Tamay : Kayıt için gerekli belgeler yanında mı?
Monika: Evet yanımda.
Tamay : Öyleyse dilekçeyi de birlikte yazalım. Pazar günü ne yapıyorsun?
Monika: Niçin sordun?
Tamay : Seni bize davet etmek istiyorum.
Monika: Çok teşekkür ederim. Pazar günü mutlaka geleceğim.

Ankara, 1.9.1982

Dil ve Tarih-Coğrafya Fakültesi Dekanlığına,

Ankara Üniversitesi Türkçe kursunda bir yıl Türkçe öğrendim. Fakültenizin Türk Dili ve Edebiyatı bölümüne kaydımı yaptırmak istiyorum.

Gerekli işlemin yapılmasını saygılarımla arz ederim.

Monika Dierenbach

Adres:
Mesnevi Sok. 24/12
   ÇANKAYA-ANKARA

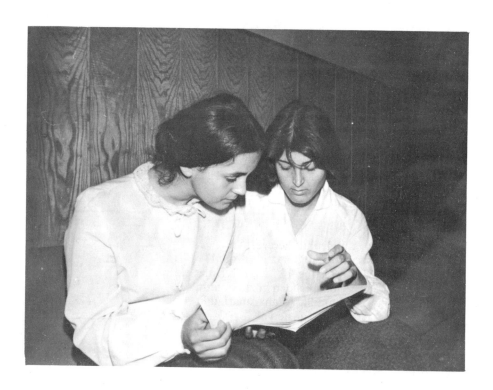

Dilbilgisi:

at   atlı

1 - li (-lı, -lü, -lu) eki

İran + lı	— İranlı arkadaşın var mı?
Irak + lı	— Hayır, Iraklı arkadaşım var.
Tunus + lu	— Bu öğrenci Tunuslu mu?
Libya + lı	— Hayır, Libyalı
Ankara + lı	— Ankaralı mısınız?
İzmir + li	— Hayır, İzmirliyim.
ev + li	— Deniz, evli değil, bekâr.
rötar + lı	— Tren rötarlı değil.
gözlük + lü	— Bu gözlüklü adam kim?

2. -lik (-lık, -lük, -luk) eki

yolcu + luk	: Yolculuk nereye?
	Yolculuğunuz nasıl geçti?
öğretmen + lik	: Öğretmenlik, güzel bir meslektir.
göz + lük	: Gözlükçüden gözlük aldım.
şimdi + lik	: Şimdilik Allahaısmarladık.
iyi + lik	: —Ne var ne yok?
sağ + lık	: —İyilik, sağlık.
kahvaltı + lık	: Birkaç kavanoz reçel ve
	kahvaltılık yağ var.

İstek kipi: -a(-e)

sor - mak	sor-ma-mak	gel - mek	gel - me - mek
sor-a-y-ım	sor-ma-y-a-yım	gel-e-y-im	gel-me-y-e-yim
sor-a-sın	sor-ma-y-a-sın	gel-e-sin	gel-me-y-e-sin
sor-a	sor-ma-y-a	gel-e	gel-me-y-e
sor-a-lım	sor-ma-y-a-lım	gel-e-lim	gel-me-y-e-lim
sor-a-sınız	sor-ma-y-a-sınız	gel-e-siniz	gel-me-y-e-siniz
sor-a-lar	sor-ma-y-a-lar	gel-e-ler	gel-me-y-e-ler

uyumak	uyumamak	söylemek	söylememek
uyuyayım	uyumayayım	söyleyeyim	söylemeyeyim
uyuyasın	uyumayasın	söyleyesin	söylemeyesin
uyuya	uyumaya	söyleye	söylemeye
uyuyalım	uyumayalım	söyleyelim	söylemeyelim
uyuyasınız	uyumayasınız	söyleyesiniz	söylemeyesiniz
uyuyalar	uyumayalar	söyleyeler	söylemeyeler

Birinci tekil kişide istek eki ile kişi ekleri arasına y koruyucu ünsüzü girer. Sorayım, bulayım, geleyim, göreyim gibi.

Sana bir soru sorayım.
Bunu sana sormayalım.

Bu akşam size geleyim.
Yarın size gelmeyelim.

Bugün erken uyuyayım.
Hayır, bugün erken uyumayalım.

Bunu sana söyleyeyim.
Bunu ona söylemeyelim.

Bugün okula gidelim.
Ahmet'e kitabı verelim.

Yarın erken uyuyasın.
Sabahleyin erken kalkasın.

Bunu Ayşe'ye veresin.
Okula mutlaka gidesin.

Eve geç gelmeyesin.
Bize vaktinde gelesiniz.

Alıştırmalar:

1. Lütfen cevap veriniz.

1. Monika nereye gidiyor? ....
2. Monika kimle konuşuyor? ....
3. Monika İtalyan mı? ....
4. Monika yurtta mı kalıyor? ....
5. Monika dilekçeyi imzalıyor mu? ....
6. Monika Türkçeyi iyi biliyor mu? ....
7. Monika Türkçeyi nerede öğrendi? ....

2. Lütfen cevap veriniz.

> Sen nerelisin? — Ankaralıyım.

1. Siz nerelisiniz? ....
2. Sen nerelisin? ....
3. Onlar nereli? ....
4. O nereli? ....
5. Biz nereliyiz? ....
6. Sen nerelisin? ....
7. Siz Tunuslu musunuz? ....
8. Sen Mısırlı mısın? ....
9. O Almanyalı mı? ....
10. Siz Ankaralı mısınız? ....

3. Lütfen sorunuz ve cevap veriniz.

1. Nereye gideyim? — Birinci katta, sağda ikinci odaya gidiniz.
2. ....? — Üçüncü katta, ...
3. ....? — Beşinci katta, ...
4. ....? — Yedinci katta, solda üçüncü odaya git.
5. ....? — Dördüncü katta, ...
6. ....? — Altıncı katta, ...

106

4. Lütfen cevap veriniz.

> Siz İngiliz misiniz? — Hayır Almanım.

1. Sen Arap mısın? ....
2. Sen Türk müsün? ....
3. O Rus mu? ....
4. Onlar Amerikalı mı? ....
5. Siz Iraklı mısınız? ....

5. Lütfen telefon numaralarını okuyunuz.

> 25 34 15 — yirmi beş otuz dört on beş

30 19 28.....................................
30 34 64.....................................
12 18 12.....................................
25 25 10.....................................
25 82 15.....................................
26 48 75.....................................
12 51 00.....................................
16 68 01.....................................
13 24 12.....................................
72 13 20.....................................
64 00 24.....................................
32 16 15.....................................

6. Lütfen sorunuz ve cevap veriniz.

> Ne almak istiyorsunuz? — Bir kavanoz bal rica ediyorum.

1. Ne almak istiyorsunuz ?   Bir kavanoz reçel...........................
2. .... ?   Bir şişe süt.....................................
3. .... ?   İki şişe su.....................................
4. .... ?   Üç kilo şeker.....................................
5. .... ?   Bir paket sigara...........................

7. Lütfen resme bakınız ve cevap veriniz.

1. Adam sağa gidiyor mu? ....
2. Adam sola gidiyor mu? ....
3. Adam ileri gidiyor mu? ....
4. Adam geri gidiyor mu? ....
5. Adam aşağı iniyor mu? ....
6. Adam yukarı çıkıyor mu? ....

Henrike Yol Soruyor

— Affedersiniz, postane nerede?
— Siz yabancı mısınız?

— Evet, Alman'ım.
— Şöyle doğru gidin.

Yüz metre ilerde sağa dönün.
Karşıda bir cami var.

Caminin yanında sola dönün.
— Postane caminin yanında mı?

— Evet, caminin yanında.
Aşağı yukarı elli metre uzaklıkta.

— Teşekkür ederim.
— Bir şey değil.

8. Lütfen cevap veriniz.

> Nerede kalıyorsun? — Babamın yanında kalıyorum.

---

1. Nerede kalıyorsun?
2. Nerede kalıyor?
3. Nerede kalıyorlar?
4. Nerede kalıyoruz?
5. Nerede kalıyor?
6. Nerede kalıyorsun?

Ağabeyimin yanında kalıyorum.
Anne...
Abla...
Kardeş..
Kız kardeş......................................
Arkadaş...

9. Lütfen tekrar ediniz.

1. Ne zaman gördünüz?
2. ....çıktınız?
3. ....konuştunuz?
4. ....içtiniz?
5. ....sordunuz?

Gelin beraber   gidelim.
.... yiyelim.
.... içelim.
.... oturalım.
.... çalışalım.

1. Yakında evlenecek.
2. ....İstanbul'a gidecek.
3. ....Türkiye'ye gelecek.
4. ....nişanlanacak.
5. ....okula gidecek.

Üniversite buraya yakın mı ?
Öğrenci İşleri............................. ?
Eviniz....................................... ?
İstasyon.................................... ?
Fakülte..................................... ?

10. Lütfen istek kipine çeviriniz.

> Bugün okula gittim. — Bugün okula gideyim.

---

1. Bugün size geldim.
2. Okulda Ali'yi gördüm.
3. Bir dilekçe yazdık.
4. Çok kitap okuduk.
5. Bütün soruları sorduk.
6. Bize vaktinde geldiniz.
7. Bir defter aldım.

Bugün size geleyim.
Okulda Ali'yi...............................
Bir dilekçe....................................
Çok kitap.....................................
Bütün soruları...............................
Bize vaktinde................................
Bir defter.....................................

11. Lütfen cümle kurunuz.

> Monika - Tamay - konuşmak - Monika Tamay'la konuşuyor.

1. Monika - Deniz - konuşmak.

....

2. Monika - Deniz - fakülte - konuşmak.

....

3. Monika - Deniz - fakülte - kayıt konusu - konuşmak

....

1. Kayıt yaptırmak - istemek.

....

2. Kayıt yaptırmak - üniversite - istemek.

....

3. Kayıt yaptırmak - üniversite - bugün - istemek.

....

1. Monika - Tamay - görmek.

....

2. Tamay - Monika - ev - davet etmek.

....

3. Tamay - Monika - pazar günü - ev-davet - etmek.

....

12. Lütfen boşluklara -lik, -lık, -lük, -luk eklerini yazınız.

1. Bugün gözlükçüden göz .... aldım. 2. Yolcu .... nasıl geçti? 3. Lütfen bana bir kahvaltı .... tereyağı 4. Bu söz .... Türkçe. 5. Masada tuz .... yok. 6. Burası ağaç .... güzel bir yer. 7. Bu elbise gece .... bu elbise sabah .... 8. Şimdi .... hoşça kal. 9. En sevdiğim meslek öğretmen .... tir. 10. İyi .... yap, kötü .... yapma.

13. Lütfen cevap veriniz.

1. Kim İranlı?	Ben İranlı'yım.
2. Kim Pakistanlı?	O...
3. Kim Amarikalı?	O...
4. Kimler Suriyeli?	Onlar..
5. Kim İstanbullu?	Onlar..
6. Kim İzmirli?	Ben..

Yedigöller - Bolu

10

BİR ZİYARET

Bülent : Buyurun efendim, hoş geldi-
niz.

Monika: Hoş bulduk.

Tamay : Sizi tanıştırayım, Bülent.

Bülent : Memnun oldum, efendim.

Monika: Memnun oldum.

Tamay : Bu da arkadaşım Rengin.

Rengin : Memnun oldum.

Monika: Ben de memnun oldum. İlk de-
fa bir Türk evine geliyorum.

Bülent : Evimiz biraz küçük, ama hem
okula yakın, hem hastaneye.

Monika: Salon güzel. Oda takımı ve ha-
lılar birbirine çok uyuyor. Çok
zevklisiniz. Resimler de güzel.

Tamay : Onları Bülent yaptı.

Monika: Yani Bülent Bey hem doktor,
hem ressam. Kutlarım.

Bülent : Teşekkür ederim, iltifat edi-
yorsunuz.

Monika: Kaç odanız var?

Bülent : Üç oda, bir salon.

Tamay : Şu, Bülent'in çalışma odası, bu
da yatak odası.

Monika: Çalışma odası ne kadar güzel!
Hele şu kilimler, şu bakır eşya-
lar!... Evinizi çok beğendim.

Rengin : Banyosu da fena değil, bakın.

Tamay : Mutfak da büyük.

Monika: Kirası ne kadar?

Tamay : Bu daire Bülent'in. Birkaç ay
önce satın aldı.

Rengin : Siz ne kadar kira veriyorsu-
nuz?

Monika: On bin lira. Yakıt hariç.

Rengin : Oldukça pahalı. Eviniz nere-
de?

Monika: Çankaya'da.

Bülent : Ben izninizi dileyeceğim. Has-
taneye dönmem gerekiyor, yi-
ne gelin. İnanın çok memnun
oluruz. Şimdilik Allahaısmar-
ladık.

Monika: Güle güle.

— Benim adım Rengin.
— Benim adım da Monika.
— Tanıştığımıza memnun oldum.
— Ben de memnun oldum.

— Bu resmi de siz mi yaptınız?
— Evet, geçen yıl yaptım.
— Hem tıp tahsil ediyorsunuz, hem de güzel resimler yapıyorsunuz?
— Teşekkür ederim. Boş zamanlarımda resim yapıyorum.

— Rengin mutfakta mı, oda da mı?
— Ne mutfakta, ne odada.
— Ya nerede?
— Banyoda.

— Mutfak büyük mü, küçük mü?
— Ne büyük ne küçük, orta büyüklükte.
— Rengin kahve mi pişiriyor, süt mü?
— Ne kahve pişiriyor, ne de süt; çay pişiriyor.

MONİKA'NIN EVİ

Bülent : Sizin ev kaç oda?
Monika: Üç oda bir salon.
Tamay : Yakıt parası ne kadar veriyorsunuz?
Monika: Beş bin lira.
Rengin : On bin lira kira, beş bin de yakıt, toplam on beş bin lira.
Monika: İki üç bin lira da telefon, su, elektrik, havagazı parası geliyor.
Bülent : Aşağı yukarı yirmi bini buluyor.
Monika: Evet öyle.
Tamay : Eviniz kaç metre kare?
Monika: Yüz metre kare. Burası kaç metre kare?
Bülent : Burası da yüz metre kare.
Tamay : İkisinin de büyüklüğü aynı.
Rengin : Yurtta niçin kalmıyorsunuz?
Monika: Evde daha rahat ders çalışıyorum. Yemekleri kendim yapıyorum. Ev benim için yurttan daha rahat.

117

Dilbilgisi:

1. hem ... hem bağlacı

— Hangi elbiseyi alıyorsun? Bunu mu, onu mu?
— **Hem** bunu **hem** onu, ikisi de güzel.

— Arapça mı biliyor, Fransızca mı?
— **Hem** Arapça biliyor, **hem** Fransızca.

Hem kör, **hem** sağır
Hem tembel, **hem** (de) yaramaz.
Hem fakir, **hem** (de) çirkin.
Hem ders çalışmıyor, **hem** (de) öğretmeni dinlemiyor.

2. ne ..... ne bağlacı

— Hangi elbiseyi alıyorsun? Bunu mu, onu mu?
— **Ne** bunu, **ne** onu, ikisi de güzel değil.

— Arapça mı biliyor, Fransızca mı?
— **Ne** Arapça biliyor, **ne** (de) Fransızca.

— Çay mı içeceksiniz, süt mü?
— **Ne** çay içeceğim, **ne** (de) süt, kahve içeceğim.

Ne parası var, **ne** şansı.
Ne defteri var, **ne** kitabı.
Ne öğretmeni dinler, **ne** ders çalışır.

Geniş zaman: -r
-ar(-er)
-ır(-ir,-ur,-ür)

git-mek	git-me-mek	çalış-mak	çalış-ma-mak
gid-**er**-im	git-me-m	çalış-**ır**-ım	çalış-ma-m
gid-**er**-sin	git-mez-sin	çalış-**ır**-sın	çalış-maz-sın
gid-**er**	git-mez	çalış-**ır**	çalış-maz
gid-**er**-iz	git-me (y) iz	çalış-**ır**-ız	çalış-ma(y)ız
gid-**er**-siniz	git-mez-siniz	çalış-**ır**-sınız	çalış-maz-sınız
gid-**er**-ler	git-mez-ler	çalış-**ır**-lar	çalış-maz-lar

gör-mek	gör-me-mek	bil-mek	bil-me-mek
gör-**ür**-üm	gör-me-m	bil-**ir**-im	bil - me - m
gör-**ür**-sün	gör-mez-sin	bil-**ir**-sin	bil - mez - sin
gör-**ür**	gör-mez	bil-**ir**	bil - mez
gör-**ür**-üz	gör-me(y)iz	bil-**ir**-iz	bil - me (y) iz
gör-**ür**-sünüz	gör-mez-siniz	bil-**ir**-siniz	bil - mez - siniz
gör-**ür**-ler	gör-mez-ler	bil-**ir**-ler	bil - mez - ler

119

Alıştırmalar:

1. Lütfen cevap veriniz.

1. Monika kimi ziyaret ediyor?   ....
2. Monika kimlerle tanışıyor?   ....
3. Bülent'in evinde kaç oda var?   ....
4. Ev nereye yakın?   ....
5. Monika hangi eşyaları beğeniyor? ....
6. Monika kaç lira kira veriyor?   ....

2. Lütfen hem ..... hem bağlacıyla cümle kurunuz.

Almanca mı öğrenmek istersin, İngilizce mi?
Hem Almanca öğrenmek isterim, hem İngilizce?

1. Pantolon mu almak istersin, ceket mi?

....

2. Çay mı içersiniz, kahve mi?

....

3. Türkçe mi öğrenirsiniz, Arapça mı?

....

4. Yazı mı yazıyorsun, öğretmeni mi dinliyorsun?

....

5. Okula mı gidersin, sinemaya mı?

....

6. Portakal mı istiyorsunuz, elma mı?

....

3. Lütfen ne .... ne bağlacıyla cümle kurunuz.

> Viski mi içersiniz, şarap mı?
> Ne viski içerim, ne şarap, çay içerim.

1. Trenle mi gideceksiniz, uçakla mı?

....

2. İstanbul'da mı kalıyorsun, İzmir'de mi?

....

3. Sinemaya mı gidiyorsunuz, tiyatroya mı?

....

4. Fizik mi çalışıyorlar, kimya mı?

....

NEYİM VAR, DOKTOR ?!

4. Lütfen sorunuz ve cevap veriniz.

> Bu kalem kimin? — Bu kalem benim.

1. Bu kitap kimin ?	Bu kitap ben.............................
2. ....?	Bu kitap o...............................
3. ....?	Bu kitap biz.............................
4. ....?	Bu kitap siz.............................
5. ....?	Bu kitap o...............................

5. Lütfen cümle kurunuz.

> ben - ceket - gri — Benim ceketim gri.

1. kalem-sen-kırmızı   ....
2. çanta-siyah-o   ....
3. o-öğretmen-Fransız   ....
4. okul-sen-büyük   ....
5. ben-masa-kahverengi   ....

6. Lütfen cümle kurunuz.

> resimleri-bu-yaptı-ağabeyim — Bu resimleri ağabeyim yaptı.

1. anneme-yazacağım-mektubu   ....
2. arkadaşımla-gideceğim-sinemaya   ....
3. sınıfta-var-öğrenci-kaç   ....
4. var-evinizde-halısı mı-Türk   ....
5. her-yapar mısın-sabah-banyo   ....

7. Lütfen ad yerine zamir kullanınız.

> Kitabı bana ver. — Şunu bana ver.

1. Kitabı al.   ....
2. Kitapları ver.   ....
3. Gazeteyi okuyun.   ....
4. Kitapları açın.   ....
5. Kilimi satın alıyorum. ....

8. Lütfen sorunuz ve cevap veriniz.

> Çantanızda ne var? — Kalem var.

1. Cebinizde ne var	?	Anahtar var............................
2.	?	Mendil..................................
3.	?	Tarak........................ ....
4.	?	Dolmakalem..................... ......
5.	?	Kurşunkalem...........................

9. Lütfen tekrar ediniz.

1. Bu evden çıkmak istiyorum.	Öğretmeni görmek istiyorum.
2. Buradan.........................	Kardeşimi.............................
3. Sınıftan.........................	Evinizi.................................
4. Ankara'dan.....................	Bu kitabı.............................
5. Okuldan.........................	Mektubumu............................
6. Maraş'tan.......................	Bu gazeteyi okumak...................

123

10. Lütfen olumsuz yapınız.

> Türkçe bilir - Türkçe bilmez.

1. Belki bugün bize gelir. ....
2. Belki ders çalışırız. ....
3. Belki sizi tanıştırırım. ....
4. Belki İzmir'e gideriz. ....
5. Bize gelir misin? ....
6. Ders çalışır mısın? ....
7. Resim yapar mısın? ....

11. Lütfen sorunuz ve cevap veriniz.

1. İstanbul'u görmek ister misin ?   Evet, isterim.
2. İzmir'e gitmek.................... ?   Evet,........................
3. Banyo yapmak.................... ?   Hayır,........................
4. Televizyon seyretmek................ ?   Hayır,........................
5. Kitap okumak....................? Evet,........................
6. Resim yapmak.................... ?   Hayır,........................

12. Lütfen cevaplara uygun sorular sorunuz.

> Ne zaman gelecek? — Bugün gelecek.

1............................ ?   Adım Özgür, soyadım Yıldırım.
2............................ ?   İzmirliyim.
3............................ ?   Bir ay önce geldim.
4............................ ?   Sınıfta 15 öğrenci var.
5............................ ?   Kilimler çok güzel.
6............................ ?   Türkçe öğretmeniyim.

13. Lütfen gelecek zamana çeviriniz.

1. Arapça öğreniyor musun? ....
2. Almanca öğreniyor mu? ....
3. Farsça öğreniyorlar mı? ....
4. İngilizce öğreniyor musunuz? ....
5. Fransızca öğreniyor mu? ....

14. Lütfen tamamlayınız.

1. Demek	doktor oldunuz	sizi kutlarım.
2.	on aldınız	....
3.	nişanlandınız	....
4.	evlendiniz	....
5.	ikinci sınıfa geçtiniz	....
6.	bunları siz yaptınız	....

15. Cümle kurunuz.

> Tamay - kalem - almak. — Tamay'ın kalemini al.

1. sen-o-çanta-vermek ....
2. kitap-o-vermek-sen ....
3. o-bana-kitap-vermek ....
4. bana-kalem-senin-vermek ....
5. siz-ev-kapı-açmak ....

POSTANEDE

11

Bülent : İşte postaneye geldik. Şurada bir yere park edelim.

Tamay: Postanenin önünde park yeri yok. Arabayı nereye park edeceksin?

Bülent : Yüz metre kadar ileride park yeri var. Sen burada in, ben gelir, seni bulurum.

Tamay: Ben paket bölümüne gidiyorum. Oraya gel. Biliyorsun paket bölümü alt katta. Orada işim biraz uzun sürer. Paketi açıp kontrol edecekler, sonra tekrar sarıp tartacaklar.

Bülent: Pakette kırılacak bir şey yok ya?

Tamay: Yok. Anneme bir bluz aldım. Biliyorsun gelecek pazar anneler günü. Sahi sen annene hediye almadın mı?

Bülent: Alamadım, vaktim yok. Ama bu mektubu ona yazdım, buraya davet ettim.

Tamay: Biraz geç kalmadın mı? Mektubu alacak, karar verecek, hazırlanacak, yola çıkacak... pazar günü burada olabilir mi?

Bülent: Pazara daha dört gün var. Mektup en geç iki gün sonra eline geçer.

Tamay: Sen mektubu bana ver. Benim de bir mektubum var. İkisini de postaya veririm. Memurla konuşur, taahhütlü veya özel ulakla gönderirim. O zaman daha erken alır. Ama en iyisi arabayı park edip gel, annene bir telgraf çekelim.

Bülent: Hem mektup, hem telgraf mı?

Tamay: Telgrafı şöyle çekeriz: ''Pazar günü burada ol. Mektup postada. Bülent.''

Bülent: Kalpten ölür! En iyisi telefon edeyim. ''Ben gelemiyorum, sen gel. Seni çok özledim'' derim.

Tamay: Haklısın. Telefon et daha iyi.

Bülent: Oldu. Ben telefona gidiyorum.

Tamay: Ben de paketi koliye vereyim.

PTT

YURTİÇİ SERVİSLERİNDE
KULLANILIR

Haberi geri gönderen
merkezin damgası

(1)

ALMA
——————— HABERİ
ÖDEME

Gönderenin

Adı ve Soyadı : Tamay Erol

(2) Adresi : Demirkapı Sok. No: 23/8

Şehir : Dikimevi — ANKARA

(1) Bu formül uçakla geri gönderilecekse (Uçakla geri yollanacak) ibares' belirli bir tarzda yazılacak ve mavi renkte (uçakla) etiket yahut damgası tatbık olunacaktır.

(2) Bu haberin geri gönderilmesi için adresini işaret edecek olan gönderici tarafından doldurulacaktır.

Stok No : 150-1-1013 (148 X 105) 400.000 Ad. 1979

<table>
<tr><td rowspan="2">Çıkış merkezince doldurulacak</td><td colspan="2">(1) Kayıtlı maddenin cinsi bluz</td></tr>
</table>

(1) Kayıtlı maddenin cinsi bluz

Değer konulmuş ise cinsi ☐ Mektup ☒ Koli

Kabul tarihi ve nosu 29 / 7 /1982 No.:

Verildiği merkez ismi

Adı veya Ticaret Ünvanı Sevim Samlı

Sokak ve Numara Atacam Sok. No: 8/12

Varış Yeri Aksaray — İSTANBUL
                                                    İmza

(2) Alıcının kendisine teslim edilememesi halinde özel görevlilere verilebilir.

Gönderici tarafından doldurulacak

Alıcının Adresi

Yukarıda tarih ve numarası yazılı gönderiyi
...../...../ 19...... tarihinde teslim aldım.

Varış Merkezi
Damgası

Teslim alanın adı,
Soyadı, kimliği (3) ve
İmza

Teslim eden
Personelin İmzası

Varış Yerinde Tamamlanacak

(1) Parantez içine icabında maddenin cinsi (mektup, posta kartı, koli, havale v.s.) işaret edilir.

(2) Özel Kalem Müdürü, Sekreter gibi görevliler aracılığı ile temas edebilenlere gönderilen alıcının kendisine verilecek» işaretli maddelerin göndericilerine imzalatılır.

(3) İmza dışındaki bilgiler Gönderinin alıcının kendisinden başkasına teslimi halinde doldurulur.

128

ANNELER GÜNÜ

Tamay: Taahhütlü mektup kaç lira?
Memur: Yurt içi mi, yurt dışı mı?
Tamay: Yurt içi.
Memur: Yirmi lira.
Tamay: İadeli taahhütlü mektup ne kadar?
Memur: Kırk lira.
Tamay: Mektup iki günde İstanbul'a varır mı?
Memur: İki günde İstanbul'a yetişir. Ama özel ulak çok daha hızlı. Yirmi dört saat içinde istediğiniz yere varır.
Tamay: Öyleyse özel ulak olsun.
Memur: Lütfen şu fişi doldurun. Adınızı, adresinizi, gideceği yeri yazın.
Tamay: Bir de ufak paketim var.
Memur: Paketle ne yollayacaksınız?
Tamay: Anneme bir bluz yollayacağım. Biliyorsunuz, önümüzdeki pazar anneler günü.
Memur: Haklısınız. Paketi lütfen alt kattaki koli servisine götürünüz.
Tamay: Teşekkür ederim.

Dilbilgisi:

Çantasını **alıp** çıktı.   Çantasını **almadan** çıktı.

a. Çantasını aldı. (ve hemen)   Çantasını **alıp** okula gitti.
b. Okula gitti.

a. Arabama bindim. (ve hemen)   Arabama bin**ip** çarşıya gittim.
b. Çarşıya gittim.

a. Kahvaltımı yaptım. (ve hemen)   Kahvaltımı yap**ıp** evden çıktım.
b. Evden çıktım.

a. Ahmet'i gördüm. (ve hemen)   Ahmet'i gör**üp** yanına gittim.
b. Yanına gittim.

a. Sorarım. (ve hemen)   Sor**up** öğrenirim.
b. Öğrenirim.

2. -meden (-madan) ulacı:

a. Ahmet bize haber vermedi.   Ahmet bize haber ver**meden** gitti.
b. Ahmet gitti.

a. Baban bu evi görmedi.   Baban bu evi gör**meden** aldı.
b. Baban bu evi aldı.

a. Hiç durmuyor.   Hiç dur**madan** ders çalışıyor.
b. Ders çalışıyor.

a. Oğlum banyo yapmadı.   Oğlum banyo yap**madan** kahvaltı yaptı.
b. Oğlum kahvaltı yaptı.

131

| A: Benimle gelir misin? | "Benimle gelir misin?" diye sordum. |
| B: Hayır, gelmem. | "Hayır, gelmem" diye cevap verdi. |

| A: Ne yapıyorsun? | "Ne yapıyorsun?" diye sordu. |
| B: Eve gidiyorum. | "Eve gidiyorum" diye cevap verdim. |

| A: O, okula gidecek mi? | "O, okula gidecek mi?" diye sordum. |
| B: Evet, gidecek. | "Evet, gidecek" diye cevap verdi. |

| A: Ne istiyorsunuz? | "Ne istiyorsunuz?" diye sordum |
| B: Kahve istiyoruz. | "Kahve istiyoruz" diye cevap verdiler. |

| A: Beni çok beklediniz mi? | "Beni çok beklediniz mi?" diye sordum. |
| B: Bir saat kadar. | "Bir saat kadar" diye cevap verdi. |

1. Lütfen cevap veriniz.

1. Postaneye kimler gidiyor? ....
2. Postanede araba park yeri var mı? ....
3. Kim paket bölümüne gidiyor? ....
4. Pakette kırılacak bir şey var mı? ....
5. Bülent annesine telgraf çekiyor mu? ....
6. Kim annesine telefon ediyor? ....

2. Lütfen sorunuz ve cevap veriniz.

Okulun önünde boş yer var mı? — Hayır, arkasında var.

1. Okulun solunda boş yer var mı ?   Hayır, sağında var.
2. .... arka .... ?   Evet.....................................
3. .... sağ .... ?   Evet.....................................
4. ....yan .... ?   Hayır....................................

3. Lütfen sorunuz ve cevap veriniz.

1. Evin önünde boş yer var mı ?   Hayır, arkasında var.
2. ....sağ .... ?   Evet,....................................
3. ....yan.................... ?   Hayır,...................................
4. ....sol.................... ?   Hayır,...................................
5. ....arka.................. ?   Evet,....................................

4. Lütfen cümle kurunuz.

> kahve - içmek - gelmek — Kahve içip geleceğim.

1. haber - vermek - gelmek ....
2. mektup - yazmak - gitmek ....
3. ders - çalışmak - uyumak ....
4. biraz - dinlenmek - çıkmak ....
5. araba - park etmek - gelmek ....
6. paket - göndermek - gelmek ....

5. Lütfen cümle kurunuz.

> Gazete okumak - gidip uyumak - Gazete okumadan gidip uyudu.

1. ders çalışmak-gidip uyumak ....
2. onlar-beklemek-gitmek ....
3. düşünmek-siz-yazmak ....
4. biz-görmek-gitmek ....
5. bilmek-ben-söylemek. ....
6. paket almak-trenden inmek ....

6. Lütfen belirli geçmiş zamana çeviriniz.

> Şimdi burada. — Şimdi buradaydı.

1. Şimdi masada. ....
2. Az önce sınıfta. ....
3. Geçen yıl Amerika'da. ....
4. Bugün okulda. ....

7. Lütfen olumsuz yapınız.

> Biraz önce buradaydı. — Biraz önce burada değildi.

1. Biraz önce evdeydi. ....
2. Dün okuldaydı. ....
3. Geçen gün İzmir'deydi. ....
4. Önceki yıl bizdeydi. ....

8. Lütfen cevap veriniz.

> Kim okula gitmeni istiyor? — Annem okula gitmemi istiyor.

1. Kim ders çalışmanızı istiyor? ....
2. Kim çay içmenizi istiyor? ....
3. Kim sınıftan çıkmalarını istiyor? ....
4. Saat kaçta gelmenizi istiyor? ....
5. Kim telgraf çekmesini istiyor? ....
6. Kim trene binmeni istiyor? ....
7. Kim oraya oturmanı istiyor? ....
8. Kim kitap almalarını istiyor? ....

9. Lütfen cümle kurunuz.

> ev - satmak - Evi satıyorum.

1. kardeş - beklemek ....
2. ceket - giymek ....
3. arkadaş - gitmek ....
4. baba - görmek ....
5. kitap - okumak ....
6. mektup - göndermek ....

10. Lütfen istek kipine çeviriniz.

> Ben gidiyorum. — Ben gideyim.

1. Türkçe konuşuyoruz. ....
2. Tiyatroya gidiyoruz. ....
3. Kitapları alıyorum. ....
4. Marmaris'e gidiyorum. ....
5. Taksiye binip gideceğiz. ....
6. Ahmet'e haber vereceğiz. ....
7. Bodrum'da kalmadan gideriz. ....
8. Antalya'ya sonra geliriz. ....

11. Lütfen soru cümlesine çeviriniz.

> Mustafa güzel konuşuyor. — Kim güzel konuşuyor?

1. Aykut kitap okuyor.   Aykut, ne............................. ?
2. Ahmet Bağdat'a gidiyor.   Ahmet, nereye........................... ?
3. Suna, annesine telefon etti. Suna, kime............................ ?
4. Yunus, Fakültede.   Yunus, nerede.......................... ?
5. Tren, saat onda hareket etti. Tren, kaçta............................ ?
6. Bugün hava soğuk.   Bugün,................................ ?
7. Otobüs dün akşam geldi.   Otobüs, ne zaman....................... ?

12. Lütfen cevap veriniz.

> Ne yapmaya gitti? — Çay içmeye gitti.

1. Ne yazmaya gitti?   Mektup yaz...............................
2. Ne dinlemeye gitti?   Radyo din.................................
3. Ne yapmaya gitti?   Telefon et................................
4. Ne göndermeye gitti?   Paket gönder..............................
5. Ne çekmeye gitti?   Telgraf çek...............................
6. Ne yapmaya gitti?   Arabayı park et...........................

13. Lütfen cevap veriniz.

> Hangisini alıyorsunuz? - En ucuzunu.

1. Hangisini alıyorsun?   En pahalı.....................................
2. Hangisini veriyorsun?   En ucuz.......................................
3. Hangisini seçiyorsun?   En iyi..
4. Hangisini beğeniyorsun?   En güzel......................................
5. Hangisini istiyorsun?   En büyük......................................
6. Hangisini seviyorsun?   En küçük......................................
7. Hangisini görüyorsun?   En yüksek.....................................
8. Hangisini satıyorsun?   En kötü.......................................

136

14. Lütfen soru cümlesine çeviriniz.

Bavulu açıp kontrol edecekler. — Bavulu açıp kontrol mu edecekler?

1. Paketi açıp kontrol edecekler. ....
2. Valizi açıp kontrol edecekler. ....
3. Eşyalara bakıp verecekler. ....
4. Seni görüp gidecekler. ....
5. Mektubu okuyup gönderecekler. ....
6. Arabaya binip eve gitti. ....
7. Kapıyı açıp içeri girin. ....
8. Kitapları kapayıp gidin. ....
9. Çantayı bulup geldi. ....
10. Biraz yürüyüp geldi. ....
11. Yarım saat koşup döndü. ....
12. Akşama kadar uyuyup kaldı. ....

15. Lütfen soru cümlesine çeviriniz.

Ayşe Mehmet'ten daha büyük. — Ayşe Mehmet'ten daha mı büyük?

1. O benden **daha** küçük. ....
2. Bu kitap **daha** güzel. ....
3. Bu çanta **daha** ucuz. ....
4. Bu kalem **daha iyi** yazıyor. ....
5. Bu öğrenci **daha** çalışkan. ....
6. Bu çocuk **daha** akıllı. ....

16. Lütfen tekrar ediniz.

Ne güzel kız!
............ev!
............araba!
............kitap!

Ne iyi adam!
........insan!
........kadın!
........arkadaş!

Ne kadar güzel bir gün!
...................bir ev!
...................konuşuyor!
...................bir çocuk!

1. Yüz metre kadar ilerde park yeri var.
2. Bin...
3. Bin beş yüz...
4. İki kilometre...
5. Otuz kilometre...

17. Lütfen di'li geçmiş zamana çeviriniz.

> Bugün hava güzel. — Dün hava güzeldi.

1. Bugün hava serin. ....
2. Bugün hava soğuk. ....
3. Ali bugün iyi. ....
4. Film güzel. ....
5. Ali bugün nasıl? ....

18. Lütfen tekrar ediniz.

1. Biliyorsun paket bölümü alt katta.
2...............buraya park etmek yasak.
3...............sınıfta sigara içmek yasak.
4...............seni çok severim.
5...............çok yorgunum.
6...............işim çok.

19. Lütfen cümle kurunuz.

1. Oraya gel.
2.. (yarın)
3.. (saat 3'te)
4.. (muhakkak)

1. Anneme bir buluz aldım.
2..(biraz önce)
3.. (güzel)
4.. (çok)
5.. (750 liraya)

1. Gelir seni bulurum.
2.. (ben)
3.. (biraz sonra)
4.. (arabamla)
5.. (GİMA'nın önünde)

HİKÂYE

Senin dudakların pembe
Ellerin beyaz,
Al tut ellerimi bebek
Tut biraz!

Benim doğduğum köylerde
Ceviz ağaçları yoktu,
Ben bu yüzden serinliğe hasretim
Okşa biraz!

Benim doğduğum köylerde
Buğday tarlaları yoktu,
Dağıt saçlarını bebek
Savur biraz!

Benim doğduğum köyleri
Akşamları eşkiyalar basardı.
Ben bu yüzden yalnızlığı hiç sevmem
Konuş biraz!

Benim doğduğum köylerde
Şimal rüzgârları eserdi,
Hep bu yüzden dudaklarım çatlaktır
Öp biraz!

Sen Türkiye gibi aydınlık ve güzelsin!
Benim doğduğum köyler de güzeldi
Sen de anlat doğduğun yerleri
Anlat biraz!

Cahit Külebi

Atasözleri

İyilik eden iyilik bulur.
İyi dost kara günde belli olur.
Kusursuz dost arayan dostsuz kalır.
İş insanın aynasıdır.
İstediğini söyleyen, istemediğini işitir.
İki dinle, bir söyle.
Her şeyin yenisi, dostun eskisi.
Her işin başı sağlık.
Her çok, azdan olur.
Hasta olmayan, sağlığın kadrini bilmez.
Gülü seven dikenine katlanır.
Gönül kimi severse, güzel odur.

BANKADA

13

Monika: Yabancı para bozdurmak istiyorum. Mümkün mü acaba?

Memur : Tabii mümkün. Dolar mı?

Monika: Hayır, mark.

Memur : Kaç mark bozduracaksınız?

Monika: İki bin mark. Bir mark kaç lira?

Memur : Resmi kur 41 lira 28 kuruş. İki bin mark 82.560.00 lira eder.

Monika: Paranın hepsini almayacağım. Bankanızda tasarruf hesabı açtırmak istiyorum.

Memur : Öyleyse önce tasarruf hesapla-
rı bölümüne gidiniz.

Monika : Peki efendim.

Memure: Buyurun efendim. Para mı çe-
keceksiniz?

Monika : Hayır, hesap açtıracağım.

Memure: Adınız, soyadınız?

Monika : Monika Dierenbach.

Memure: Ev adresiniz?

Monika : Mesnevi Sokak, No: 17
Çankaya- Ankara

Memure: Vadeli mi olsun, vadesiz mi?

Monika : İkisi arasında ne fark var?

Memure: Vadesiz hesaplar için % 5 faiz
veriyoruz. Vadeli hesaplar için
% 50'ye kadar faiz veriyoruz.

Monika : Vadeli olsun.

Memure: Kaç liralık hesap açtıracaksı-
nız?

Monika : Seksen bin.

Memure: Kaç ay vadeli?

Monika : Bir yıl.

Memure: Şurayı imzalayın lütfen. Şimdi
vezneye gidin, paranızı yatı-
rın.

Monika : Hesap defterini oradan mı ala-
cağım?

Memure: Evet, efendim.

Monika : Teşekkür ederim.

Dilbilgisi:

Adam bavulları taşıyor.

Adam bavulları taşıtıyor.

1. Ettirgen eylem yapan ekler: -t, -dir, -ir

-t

— Çocuğunuz nerede?
— Biraz önce uyu-**t**-tum.

— Ahmet nerede?
— Bilmiyorum ama, ara-**t**-ıyorum.

— Öğretmen defteri imza etti mi?
— Hayır, şimdi götürüp imzalatacağım.

— O adam ne yapıyor?
— Mektup oku-**t**-uyor.

— Bavulu sen mi taşıyorsun?
— Hayır, taşıyıcıya taşı -**t**-ıyorum.

-dır, (-dir, -dur, -dür), -tır, (-tir, -tur, -tür)

— Elbiseyi sen mi dikeceksin?
— Hayır, terziye dik-**tir**-eceğim.

— Resmi sen mi çizeceksin?
— Hayır, ressama çiz-**dir**-eceğim.

— Odayı sen mi ölçtün?
— Hayır, mimara ölç-**tür**-düm.

— Bugün sen mi yüzdün?
— Hayır, çocuğu yüz-**dür**-düm.

— Bu adam ne yapıyor?
— Sekreterine mektup yaz-**dır**-ıyor.

— Monika ne yapıyor?
— Bankada hesap aç-**tır**-ıyor.

— Öğretmen konuşuyor mu?
— Hayır, öğrencileri konuş-**tur**-uyor.

— Turist ne yapıyor?
— Para boz-**dur**-uyor.

-ir, (-ır, -ür, -ur)

— Parayı bankaya yat-**ır**-dın mı?
— Hayır, yolda düş-**ür**-düm.

— Yemeği lokantada mı yedin?
— Hayır, evde piş-**ir**-dim.

— İşe vaktinde yetiştin mi?
— Hayır, otobüsü kaç-**ır**-dım.

— Kardeşin süt içmek istiyor mu?
— Hayır, annem zorla iç-**ir**-iyor.

— Dersin bitti mi?
— Az kaldı, biraz sonra bit-**ir**-eceğim.

— Annen nerede?
— Bebeği yat-**ır**-ıyor.

Pişiyor   Pişiriyor.

Alıştırmalar:

1. Lütfen cevap veriniz.

1. Monika kaç mark bozduruyor? ....
2. Bir mark kaç Türk lirası? ....
3. Monika nasıl bir hesap açtırıyor? ....
4. Bankada faiz oranı yüzde kaç? ....
5. Monika bankaya kaç lira yatırıyor? ....

2. Lütfen sorunuz ve cevap veriniz.

> Frank mı bozduracaksınız? — Hayır, mark bozduracağım.

1. Dolar mı bozduracaksınız ? ....
1. Mark........................... ? ....
3. Dinar........................... ? ....
4. Frank........................... ? ....
5. Kron........................... ? ....
6. Lira........................... ? ....

3. Lütfen cevap veriniz.

> Bir mark kaç lira? — 62 lira.

1. Bir dolar kaç lira? ....
2. Bir frank kaç lira? ....
3. Bir ruble kaç lira? ....
4. Bir dinar kaç lira? ....

4. Lütfen sorunuz ve cevap veriniz.

> Kaç mark bozdurmak istiyorsunuz? — 1000 mark bozdurmak istiyorum.

1. Kaç mark bozdurmak istiyorsunuz ? ....
2. ......dolar............................... ? ....
3. ......frank............................... ? ....
4. ......lira............................... ? ....
5. ......ruble............................... ? ....

5. Lütfen ettirgen eyleme çeviriniz.

> Sizi bekledim. — Sizi beklettim.

1. Para bozdum.	Para..
2. Bebek uyudu.	Bebeği....................................
3. Çocuk yattı.	Çocuğu..................................
4. Mektubu okudu.	Mektubu................................
5. Kahvaltıyı hazırladılar.	Kahvaltıyı.............................
6. Çocuk yürüdü.	Çocuğu..................................
7. Kapıyı kapattı.	Kapıyı...................................
8. Elbiseyi temizledi.	Elbiseyi.................................
9. Olayı hatırladılar.	Olayı.....................................
10. Bavulu taşıdılar.	Bavulu...................................
11. Kapıyı açtım.	Kapıyı...................................
12. Kitap yazdım.	Kitap.....................................
13. Kalemi verdim.	Kalemi...................................
14. Öğrenciyi aradım.	Öğrenciyi...............................

6. Lütfen ettirgen eyleme çeviriniz.

> Ali bal yedi. — Ali bal yedirdi.

1. Ali güldü.	....
2. Ali kitap aldı.	....
3. Ali kapıyı açtı.	....
4. Ali ders çalıştı.	....
5. Ali konuştu.	....
6. Ali yazdı.	....

7. Lütfen cevap veriniz.

> Hangi ayın on biri? — Ocak ayının on biri.

1. Hangi ayın on beşi?	Mart...........................
2. Hangi ayın sekizi?	Nisan..........................
3. Hangi ayın altısı?	Mayıs..........................
4. Hangi ayın yedisi?	Haziran........................
5. Hangi ayın dokuzu?	Temmuz.......................
6. Hangi ayın yirmisi?	Ağustos........................
7. Hangi ayın otuzu?	Eylül..........................
8. Hangi ayın yirmi dokuzu?	Ekim...........................
9. Hangi ayın üçü?	Kasım..........................

8. Lütfen sorunuz ve cevap veriniz.

> Kırmızı rengi mi seviyorsunuz? — Hayır, ben beyaz rengi seviyorum.

1. Yeşil........................... ?	Hayır..........................
2. Mavi........................... ?	Evet...........................
3. Mor............................ ?	Evet...........................
4. Gri............................ ?	Hayır..........................
5. Pembe......................... ?	Hayır..........................
6. Sarı........................... ?	Evet...........................
7. Siyah.......................... ?	Hayır..........................
8. Turuncu....................... ?	Evet...........................

9. Lütfen ettirgen eyleme çeviriniz.

> Kedi dışarı çıktı. — Ahmet kediyi dışarı çıkardı.

1. Kedi süt içti.   Ahmet kediye süt.............................
2. Kuş kafesten uçtu.   Çocuk kuşu kafesten........................
3. Ceketin düğmesi koptu.   Aycan ceketin düğmesini..................
4. Hırsız polisten kaçtı.   Polis, hırsızı...................................
5. Para bahçede düştü.   Cemil parayı bahçede.....................

10. Lütfen cevap veriniz.

> Ne zaman geleyim? — Yarından sonra gel.

1. Ne zaman geleyim?   Öğle..
2. Ne zaman gelsin?   Cuma...
3. Ne zaman geldi?   Salı...
4. Ne zaman gelecek?   Saat beş..
5. Ne zaman gelelim?   Saat on..

11. Lütfen tamamlayınız.

1. Evimizde üç yatak odası var. Bizim odamız çocukların odasından.........bü-yük,...........küçük oda benim çalışma odam. 2. Bu sokakta başka kitapçı var mı? Şurada bir kitapçı ....var. 3. Sizin eviniz de okula yakın, ama bizim evimiz..........yakın. 4. ....çalışkan öğrenci kim? 5...............istiyor-sun? 6..........görmek istiyorsun? 7. Hangi yabancı dili..............iyi biliyor-sun? 8. Avrupa'yı kim...............tanıyor?.

12. Lütfen soru cümlesine çeviriniz.

> Kalman gerekiyor. — Kalman gerekiyor mu?

1. Gitmen gerekiyor.   ....
2. Uyuman gerekiyor.   ....
3. Dinlenmen gerekiyor.   ....
4. Çalışmamız gerekiyor.   ....
5. Gelmeniz gerekiyor.   ....

13. Lütfen cevap veriniz.

Kırmızı kalem masada, mavi kalem elimde.

1. Hangi kalem kırmızı?   Masadaki kalem kırmızı.
2. Hangi kalem mavi?   Elimdeki kalem mavi.

Ali'nin kitabı çantada, Ayşe'nin kitabı masada.

1. Hangi kitap Ali'nin?   Çantadaki.............................
2. Hangi kitap Ayşe'nin?   Masadaki.............................

Yücel'in büyük evi İstanbul'da, küçük evi İzmir'de.

1. Yücel'in hangi evi büyük?   İstanbul'.............................
2. Yücel'in hangi evi küçük?   İzmir'.............................

Yeni otomobil evin önünde, eski otomobil garajda.

1. Hangi otomobil yeni?   Evin önü.............................
2. Hangi otomobil eski?   Garaj.............................

14. Lütfen cevap veriniz.

Kapıdaki çocuk kim? — Kardeşim.

---

1. Bahçedeki adam kim?   ....
2. Trendeki kadın kim?   ....
3. Arabadaki kız kim?   ....
4. Sokaktaki çocuk kim?   ....
5. Sınıftaki adam kim?   ....
6. Odadaki bayanlar kim?   ....

YANIMDAKİ KIZ KİM?

15. Lütfen cevap veriniz.

> Masadaki kalem kimin? — Benim.

1. Sağdaki araba kimin? ....
2. Soldaki ev kimin? ....
3. Çantadaki defter kimin? ....
4. Ahmet'teki kalem kimin? ....
5. Ayşe'deki kitap kimin? ....
6. Yunus'taki gözlük kimin? ....
7. Bahçedeki araba kimin? ....
8. Arabadaki valiz kimin? ....

151

16. Lütfen aşağıdaki kelimelerin zıt anlamlarını yazınız.

uzun - kısa, yanlış - doğru, alçak - yüksek

yatmak......................................	beyaz	....
kolay	ak	....
güzel	uzak	....
yaşlı	var	....
açık	eski	....
büyük	evli	....

17. Lütfen cümle kurunuz.

bu-var-oda-evde kaç — Bu evde kaç oda var?

1. istedi-Gürbüz'ün-kimden-yardım-arkadaşı?

....

2. bey-nerede-polis-sokak-yedinci-biliyor musunuz?

....

3. var-polis-şu-bir-köşede

....

4. arkadaşım-ev-bir-aldı-satın-güzel

....

5. var mı-otelden-bu-pahalı-daha-otel-bir?

....

152

Bodrum

TURİZM BÜROSUNDA

14

Monika: Üç arkadaş, Temmuz ve Ağustos aylarında Türkiye'yi gezmek istiyoruz. Bize bilgi verir misiniz?

Görevli: Bugüne kadar Ankara'dan başka nereleri gördünüz?

Monika: Yalnız İstanbul'u gördük. Artık başka yerler görmek istiyoruz.

Görevli: Şu haritaya bakınız. Türkiye' nin üç yanı denizlerle çevrili. Türkiye gerçekten bir turizm cennetidir. Eşsiz doğa güzelliklerini görmek için Karadeniz'e gidiniz. Üstelik Temmuz ve

Ağustos aylarında sıcaktan yanmazsınız. Karadeniz'in suyu biraz soğuktur, ama fazla tuzlu değildir. Özellikle Şile'de denize doyum olmaz.

Monika: Biz hem gezmek, hem eğlenmek, hem de tarihi eserleri görmek istiyoruz.

Görevli : Öyleyse Ege ve Akdeniz bölgesine gidin.

Monika: Önce nereye gidelim?

Görevli : İstanbul'dan İskenderun'a turistik gemi seferimiz var. İstanbul'dan gemiye binin. İskenderun'a kadar İzmir'i, Marmaris'i, Antalya'yı görürsünüz. Dönüşte de Mersin'i Antalya'yı, Fethiye'yi ve Kuşadası'nı görürsünüz. Buraları mutlaka görün. Her bakımdan güzel yerlerdir.

Monika: Her yerde turizm bürosu var mı?

Görevli: Tabii var. Görevliler size yardımcı olurlar.

Monika: Bir karayolları haritası verir misiniz?

Görevli : Tabii, buyurun alın.

Monika: Teşekkür ederim. Ankara'nın da özel haritası var mı?

Görevli : Evet var.

Monika: Lütfen bir tane de ondan verir misiniz?

Görevli : Elbette, buyurun.

Monika: Tekrar teşekkür ederim.

Monika Turizm bürosunda
el işi nakışlara bakıyor.
Nakışların desenlerini ve renklerini çok
beğeniyor.

Kilimlerin desenleri de Monika'nın çok
hoşuna gidiyor. Kilimlere uzun uzun
bakarak Türk motiflerini inceliyor.

Türk milli kıyafetleri Monika'nın ilgi-
sini çekiyor. Milli kıyafetlerin renklerini
çok canlı buluyor.

Monika el işi bir nakış, bir de kilim ala-
rak parasını kasaya ödüyor. Turizm
bürosundan ayrılarak eve dönüyor.

156

Monika Bodrum'a gidiyor

Monika: Bodrum'a uçak var mı?

Görevli : Muğla'ya uçak var. Bodrum, Muğla'dan bir iki saat uzaktadır. Muğla'dan Bodrum'a her saat minibüs ve dolmuşlar kalkar. Bunlara binerek rahatça Bodrum'a varırsınız.

Monika: Bodrum'u siz de güzel buluyor musunuz?

Görevli : Bodrum'da gece hayatı çok canlıdır. Diskotek, lokal gibi eğlence yerleri boldur. Fakat doğa güzelliği yönünden ben Marmaris'i tercih ederim.

Monika: Öyleyse biz de Marmaris'e gideriz.

Görevli : Marmaris ile Bodrum birbirine çok yakın. Üç saatte Bodrum'dan Marmaris'e gidersiniz. Önce Bodrum'a gidin, sonra Marmaris'i de görür kendiniz bir seçim yaparsınız.

Monika: Çok teşekkür ederim.

Görevli : Bir şey değil.

Dilbilgisi:

1. kadar ilgeci:

— Ne **kadar** paran var? (Kaç liran var?)
— Yüz lira **kadar** (Yüz lira değil. Belki 90, belki 95 lira).

— Okulda ne **kadar** öğrenci var?
— 1200, 1500 **kadar.**

— Ne **kadar** bekleyeyim?
— Beş on dakika **kadar** bekle.

— Ne **kadar** uyudun?
— Beş altı saat.
— Bu **kadar** az uyuma.

— Daha ne **kadar** yolumuz var?
— Otuz kilemotre kadar.

2. -e kadar:

— Kıbrıs'a nasıl gittin?
— Adana'**ya kadar** trenle, Adana'dan İskenderun'**a kadar** otobüsle, İskenderun'dan Kıbrıs'**a kadar** da gemiyle gittim.

— Dün gece iyi uyudun mu?
— Hayır, hiç uyumadım. Sabah**a kadar** kitap okudum.

— Günder nereye gitti?
— Gazetecі**ye kadar** gitti.

— Yarın sabah ne yapacaksın?
— Öğleye **kadar** uyuyacağım. Öğleden sonra saat beşe **kadar** ders çalışacağım.

— Ev**e kadar** yürüyelim mi?
— Hayır, yorgunum.
— Niçin? Ben de senin **kadar** çalıştım.

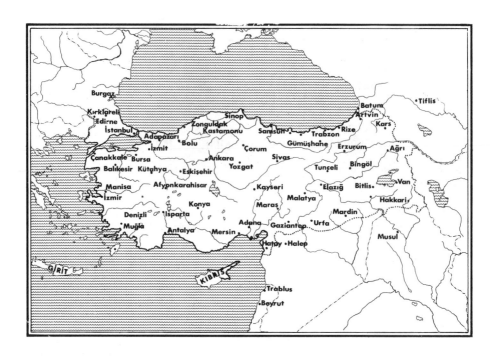

1. Lütfen cevap veriniz.

1. Monika'nın arkadaşları kaç kişi?

....

2. Monika arkadaşları ile hangi ayda seyahate çıkmak istiyor?

....

3. Türkiye'nin çevresinde hangi denizler var?

....

4. Turistik gemiler seyahat sırasında nerelere uğruyor?

....

5. Yazın Türkiye'de hangi bölge serin olur?

....

2. Lütfen tamamlayınız.

1. Akdeniz bölgesinde	haziran ayı...	sıcak olur. ....
2.........................	temmuz.......	....
3.........................	ağustos........	....
4.........................	eylül...........	....
5. Doğu Anadolu'da	aralık ayında	soğuktan titrersin......
6.........................	ocak...........	....
7.........................	şubat..........	....
8.........................	mart..........	....

3. Lütfen Tamamlayınız.

1. Saat   beşe kadar bekleyeceğim.
2.......... bir............................
3.......... üç............................
4.......... 15.30.......................
5.......... 12.00.......................
6.......... 24.00.......................
7..........   2.45.......................

4. Lütfen tamamlayınız.

1. Ben eve kadar yürüyeceğim.
2. Sen.....................................
3. O.......................................
4. Onlar..................................
5. Siz.....................................
6. Biz.....................................

Otelimden memnunum.
Evimden................................
Arkadaşlarımdan......................
Yemeklerden...........................
Odamdan................................
Her şeyden.............................

5. Lütfen olumsuz yapınız.

Türk yemeklerini beğeniyorum. — Türk yemeklerini beğenmiyorum.

1. Bu öğrenciyi tanıyorum.   ....
2. Sizi tanıştıracağım.   ....
3. Yalnız İstanbul'u gördük.   ....
4. Antalya'da sıcaktan yanarsınız.   ....
5. Artık başka yerler görmek istiyoruz. ....

6. Lütfen soru cümlesine çeviriniz.

> Ben de gidiyorum. — Ben de gidiyor muyum?

1. İyi Türkçe konuşuyor. ....
2. İngilizce biliyorsunuz. ....
3. Bu akşam bize geliyorsunuz. ....
4. Yarın Kayseri'ye gidiyorum. ....
5. Kitaplar burada kalacak. ....
6. Memnun oldu. ....

7. Lütfen tamamlayınız.

1. Bizim 2000 liraya ihtiyacımız var.   Benim zamanım yok.
2. Senin yardım..........................   Onun para..........................
3. Sizin para.............................   Sizin ev..............................
4. Onun siz...............................   Senin ders...........................
5. Benim iyi bir dost....................   Onun masa..........................

1. Ahmet otel ..... gitmedi. 2. Kimse biz ..... haber vermedi. 3. Kimse onlar.....
bir şey söylemiyor. 4. Bu kitaplar ..... okudun mu? 5. Ben ..... burada bekle.
6. Ben ..... para istedi. 7. Kitaplar ..... açın. 8. Kapı..... niçin açtınız? 9.
Sen.....bir şey istemiyorum. 10. O..... bir kitap verdim.

8. Lütfen gelecek zamana çeviriniz.

> Bu akşam dönüyor. — Bu akşam dönecek.

1. Çok memnun oldu. ....
2. On dakika teneffüs yaptık. ....
3. Okula gitmeyin. ....
4. Sınıfta konuşmayınız. ....
5. Kitapları masaya koymayınız. ....
6. Sınıfta gazete okumayınız. ....
7. Tekrar ediniz. ....
8. Sorularıma cevap verin. ....
9. Ben sordum, o cevap verdi. ....

162

9. Lütfen di'li geçmiş zamana çeviriniz.

> Akşama kadar bekleyeceğim. — Akşama kadar bekledim.

1. Sabaha kadar bekleyeceğim. ....
2. Öğleye kadar bekleyeceğim. ....
3. Yarına kadar bekleyeceğim. ....
4. Cumaya kadar bekleyeceğim. ....
5. Ay sonuna kadar bekleyeceğim. ....
6. Ay başına kadar bekleyeceğim. ....
7. Yıl sonuna kadar bekleyeceğim. ....
8. Yılbaşına kadar bekleyeceğim. ....

10. Lütfen boşlukları doldurunuz. (-de, -e, -den)

1. Pencerenin sağın ..... ne var? 2. Öğrenciler ders ..... sonra evlerine gidecekler. 3. Sınıf .... büyük bir harita var. 4. Öğrenciler sınıf ..... girdiler. 5. Masa ..... kitaplar, çantalar var. 6. Bir hafta ..... kaç gün var? 7. Siz ..... dolmakalem var mı? 8. Nere ..... geliyorsunuz? 9. Nere ..... gidiyorsunuz?

11. Lütfen tamamlayınız.

1. Karayolları haritası verir misiniz?
2. Denizyolları...............................
3. Havayolları...............................
4. Türkiye haritası...........................
5. Dünya haritası............................
6. Avrupa haritası...........................
7. Asya haritası.............................
8. Afrika haritası...........................
9. Amerika haritası.........................

12. Lütfen sorunuz ve cevap veriniz.

> Oraya ne zaman gittin? — Pazartesi günü gittim.

1. Oraya ne zaman gittin?   Salı ....
2. Oraya ne zaman gittiniz?   Çarşamba...................................
3. Oraya ne zaman gittiler?   Perşembe...................................
4. Oraya ne zaman gittik?   Cuma...
5. Oraya ne zaman gidecekler? Cumartesi.................................
6. Oraya ne zaman gidelim?   Pazar...

13. Lütfen doğru cevabı işaretleyiniz.

— Pencere açık mı?

☐ Üç pencere var.

☐ Çanta kapalı değil.

☐ Pencere büyük.

☐ Evet, açık.

— Sınıfta kim var?

☐ Masa var.

☐ Öğretmen var.

☐ Öğrenci yok.

☐ Öğrenciler var.

— Günaydın Ahmet Bey!

☐ Güle güle.

☐ İyiyim, teşekkür ederim.

☐ Günaydın.

☐ Allahaısmarladık.

— Nasılsınız?

☐ Allahaısmarladık.

☐ Günaydın.

☐ İyiyim. Teşekkür ederim.

☐ Güle güle.

14. Lütfen tamamlayınız.

1. Kışın	Erzurum'un havası	çok	yağmurlu olur.
2.	İstanbul'..............	çok	nemli..............
3.	Ankara'..............	çok	kirli..............
4. Yazın	Kars'..............	çok	soğuk..............
5.	Antalya'..............	çok	sıcak..............
6.	İzmir..............	çok	sıcak..............

İSTANBUL'UN HAVASI ÇOK NEMLİ OLUR

15. Lütfen cevap veriniz.

> Kaçıncı derse kadar okudunuz? — Dokuzuncu derse kadar okuduk.

1. Kaçıncı derse kadar okudun?   Üç...
2. Kaçıncı derse kadar okudu?   İki...
3. Kaçıncı derse kadar okudunuz?   Yedi..
4. Kaçıncı derse kadar okudular?   Dört..
5. Kaçıncı derse kadar okuduk?   Beş...

Boğaz Köprüsü—İstanbul

Dolmabahçe Sarayı—İSTANBUL

Arnavutköy—İstanbul

Kız Kulesi—İstanbul

Konak Meydanı—İzmir

Pamukkale—Denizli

Şah Motel—Bodrum

Festival—Bodrum

Anıtkabir—Ankara

Çubuk Barajı—Ankara

Botanik Bahçesi—Ankara

Yedigöller—Bolu

Uludağ—Bursa

Efes - İzmir

Peribacaları—Nevşehir

Antik Tiyatro—Antalya (Demre)

Noel Baba Kilisesi — Antalya (Demre)

Akdeniz Kıyılarında Kayalar

Su Kayağı—İzmir

Yatta Tatil—Fethiye

Türkçe Öğreniyoruz I, II, III, IV, V, VI
Türkisch Aktiv

Türkçe Öğreniyoruz altı ciltten oluşmaktadır. Türkçe Öğreniyoruz'a ait anahtar kitaplar, kasetler, slaytlar, dilbilgisi ve alıştırmaları anlatan video filmleri vardır.

☐ **Türkçe Öğreniyoruz I**

Türkçe Öğreniyoruz I'de daha çok günlük konuşmalara yer verilmiştir. Bu kitabı bitiren günlük konuşmaları rahatlıkla yapabilir.

☐ **Türkçe Öğreniyoruz II**

Günlük konuşmaların yanısıra bazı basit metinler bu kitapta yer almıştır. Türkçe dilbilgisinin en önemli konuları bu kitapta çözümlenmiştir. Bu kitabı bitiren, Türklerle sohbet edebilir. Gazete haberlerini büyük ölçüde anlayabilir.

☐ **Türkçe Öğreniyoruz III**

Bu ciltte gazete ve kitaplardan alınan örnek metinler vardır. Dilbilgisinin incelikleri bu kitapta işlenmiştir. Türk kültürünün ve Türkiye'nin tanıtımına yer verilmiştir.

☐ **Türkçe Öğreniyoruz IV**

Türk kültürünün tanıtımına ağırlık verilmiştir. Bu kitabı bitiren üniversite öğrenimini sürdürebilecek düzeyde Türkçe öğrenir.

☐ **Türkçe Öğreniyoruz V**

Bu kitapta, tarih, edebiyat, dil, coğrafya, ekonomi, işletme, siyasal bilim, hukuk ve sosyal bilgiler konuları içeren bilgiler Yüksek Öğretim Kurumu'nun tavsiye ettiği doğrultuda hazırlanmıştır.

☐ **Türkçe Öğreniyoruz VI**

Türkçe Öğreniyoruz VI'da tıp, astroloji, çeviri, biyoloji, kimya, uzay ve fen bilgileri konularını içeren bilgiler Yüksek Öğretim Kurumu'nun tavsiye ettiği doğrultuda hazırlanmıştır.